COMMITTED TO
IMPROVING THE STATE
OF THE WORLD

ABOUT 세계경제포럼(World Economic Forum, 다보스포럼)

세계경제포럼은 독립적 국제기구로서 비즈니스, 정치, 학회 및 사회 리더들과 함께 국제적, 지역적, 산업적 어젠다를 구축하여 세계의 상황을 개선시키기 위해 힘쓰고 있다. 이 기구는 중립적이고 공정하여, 그 어떤 정치적 이익이나 국익에 무관하며 모든 이해관계자들이 대화를 나눌 수 있는 플랫폼을 구축한다는 하나의 목적만을 갖고 있다. 포럼에 대한 자세한 내용은 아래 사이트에서 살펴볼 수 있다. www.weforum.org

For my Korean readers,

The speed, breadth and depth of the Fourth Industrial Revolution is forcing us to rethink how countries develop, how organizations create value and even what it means to be human. I feel it is incumbent on all stakeholders of global society to shape the future in a way, which uses the full potential of the new technologies and eliminates the risks!

I thank you for journeying with me together on this incredible exciting adventure!

Sincerely yours,

Klaus Schwab

한국의 독자들에게

　제4차 산업혁명의 속도와 범위, 깊이는 국가가 발전해나가는 방법과 기업이 가치를 창출하는 방법에 대해, 심지어 인간이란 무엇인가에 대해 다시금 생각해보게 합니다. 새로운 기술의 가능성을 최대한 활용하고 그 기술로 인해 빚어지는 위험을 막을 수 있는 미래를 만들어나가는 것은 국제사회 속 모든 이해관계자가 마땅히 해야 할 일이라고 생각합니다.
　새로 시작될 위대한 여정에 함께해주시는 여러분께 감사드립니다.

클라우스 슈밥

클라우스 슈밥의
제4차 산업혁명

클라우스 슈밥의
제4차 산업혁명

클라우스 슈밥 지음 | 송경진 옮김

THE FOURTH INDUSTRIAL REVOLUTION

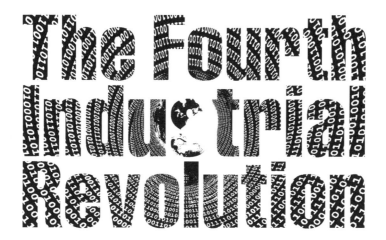

메가스터디BOOKS

일러두기

1. 본문에 사용된 용어 중 '과학기술'은 'technology'를 번역한 것이다. 원서에서는 기술의 총체적 영역으로서 'technology'를 사용하고 있어 '기술'로 번역하는 것이 맞지만, '제4차 산업혁명'과 관련한 국내 언론 보도에서 이를 '과학기술'로 표현하고 있어 독자들의 혼선을 방지하는 차원에서 '과학기술'로 통일하였다.

2. 본문 중 '파괴적 혁신'은 원서의 'disruption'을 번역한 것이다. 이는 '혁신'을 뛰어넘는 개념으로, 기존의 시스템을 붕괴시키고 새로운 시스템을 만들어낼 정도의 위력을 뜻한다. 이에 'disruptor'는 기존의 틀을 깨고 새로운 가치를 시장에 내놓는 사람 및 기업을 의미하므로, '파괴적 혁신가' 및 '파괴적 혁신기업'으로 표기하였다.

아무도 예상하지 못한 속도로 다가오는
제4차 산업혁명 시대를 맞아

현재 인류는 지금까지 아무도 미리 내다보지 못할 정도의 빠른 기술혁신에 따른 '제4차 산업혁명' 시대를 맞고 있다. 기존의 일하는 방식이나 소비 행태뿐 아니라 생활방식 전반에 걸친 혁명적 변화가 가속화되는 시대에 들어서 있는 것이다. 인공지능과 로봇, 빅 데이터와 클라우딩, 3D 프린팅과 퀀텀 컴퓨팅, 나노, 바이오기술 등 거의 모든 지식정보 분야에 걸친 눈부신 속도의 발전이 제4차 산업혁명을 이끌고 있다.

제4차 산업혁명의 큰 특징은 과거에 인류가 경험했던 어느 산업혁명에 비해 더욱 광범위한 분야에 걸쳐 눈부시게 빠른 속도로 진전될 것이라는 점이다.

우리는 얼마 전 인공지능인 알파고와 이세돌 프로기사 간의 '세기의 대결'을 통해 엄청난 속도로 진전되고 있는 제4차 산업혁명의 일면을 실감했다. 거의 모든 전문가들이 인공지능이 이렇게 빨리 세계 최고 프로기사를 이기리라고 내다보지 못했었던 것 아닌가.

따라서 우리는 제4차 산업혁명이 몰고 올 무한한 기회와 도전을 남보다 먼저 내다보고 지혜롭게 대응해나갈 준비를 서둘러야 한다. 기업과 노동자 그리고 정부뿐 아니라 우리 사회 구성원 모두가 함께 이 과정에 동참해야 한다.

그러기 위해 우리 모두는 우선 제4차 산업혁명의 특성과 그 함축성부터 잘 이해하는 것이 무엇보다 중요함은 두말할 필요도 없다.

머지않은 앞날에 펼쳐질 제4차 산업혁명 시대에 관한 전문가들의 몇 가지 구체적 예측 사례를 한번 생각해보자.

현재의 지식정보 관련 기술혁신 속도를 고려할 때 지금 초등학교에 입학하는 아동이 사회에 나와 갖게 될 일자리의 거의 70퍼센트가 현재 존재하지도 않는 전혀 새로운 일자리가 되는 시대가 올 것이라는 전문가들의 의견이 있다. 그리고 앞으로 10년 이내에 길거리에 나와 있는 자동차 10대 중 한 대가 무인자동차일 것이고, 인공지능 로봇이 법률 관련 자문과 기업 감사 업무의 상당 부분을 맡게 되며, 로봇이 약사의 일을 해내고, 3D 프린팅에 의한 간 이식이 이루어질 가능성이 높다고 보는 전문가들이 많다.

이러한 시대를 대비해 우리 모두가 해야 할 일이 많고 시급하다는 것은 누구나 쉽게 상상할 수 있다. 특히 교육 분야의 전면적 개혁의 필요성은 누구나 짐작할 수 있다.

새로운 일자리를 창출해낼 수 있는 창의력을 갖춘 인재와 새로운 일자리에 맞는 능력을 지닌 인재를 기존의 교육 제도와 방법 그리고 교육 내용으로 길러낼 수 있겠는가.

그리고 기존 노동자들을 위한 수시의 훈련·재훈련을 위한 제도도 마련되어야 하며, 노동시장 유연성 확보와 함께 적절한 사회안전망도 구축되어야 한다.

《클라우스 슈밥의 제4차 산업혁명》이란 이 책의 출간은 이러한 측면에서 볼 때 정말 시의적절한 것이다. 이 책의 큰 특징은 많은 세계 전문가들과 일선 기업인들의 의견을 종합한 구체적 사례 중심으로 쓰였기 때문에 비전문가들도 쉽게 이해하고, 흥미롭게 읽을 수 있다는 것이다.

특히 이 책은 경제와 과학기술 분야뿐 아니라 교육과 행정, 법과 안보, 사회와 문화 등 우리 사회 거의 모든 분야에 걸친 정책담당자들과 기업 및 노동자, 그리고 우리 사회 구성원 모두에게 지금까지 해오던 일에 대한 발상의 혁명적 전환이 필요함을 구체적으로 웅변해주고 있어 더욱 유용하게 활용할 수 있을 것이다.

이 책은 경제학과 공학 그리고 행정학 분야를 전공한 '융합형' 학자이자 실천가로서 1971년부터 세계경제포럼World Economic Forum을 이끌어오고 있는 클라우스 슈밥Klaus Schwab 교수의 저서다.

매년 초 스위스 알프스의 조그마한 산골 스키 리조트인 다보스Davos에서 개최되는 세계경제포럼에는 주요국 정상들과 국제기구의 수장 그리고 주요국 정책담당자, 세계적 기업가와 학자 그리고 세계적

언론인들과 각계 전문가 2,500여 명이 모여 지구촌이 직면한 도전과 기회에 관한 논의가 펼쳐진다. 이 포럼은 어느덧 세계 각국의 각계 지도급 인사들의 의견이 모아지는 '지구촌 사랑방' 같은 비공식 기구가 되었다.

금년 초에 개최되었던 세계경제포럼에서는 슈밥 교수가 이 책의 주요 내용을 기초로 한 제4차 산업혁명이란 화두를 던져 세계인의 주목을 끈 바 있다.

저자 스스로 밝힌 바와 같이 이 책의 저술 과정에는 세계경제포럼을 중심으로 한 슈밥 교수 특유의 네트워크를 통해 수많은 정부, 기업, 인문·과학기술 분야의 전문가들이 직간접으로 참여했고, 그들의 의견이 최대한 반영되어 있어 이 책의 내용은 더욱 값진 것이다.

슈밥 교수 스스로 이 책은 세계경제포럼을 중심으로 한 '집단적 지혜collective enlightened wisdom'의 산물 혹은 '크라우드소스crowd-sourced(대중적 의견)'에 기초한 것임을 강조한다. 미래를 내다보는 일은 언제나 어렵다. 그 진전 속도가 특히 빠른 제4차 산업혁명의 세계를 어느 한 사람의 전문가가 내다보는 일은 더욱 어려울 수밖에 없다. 그래서 많은 관련 분야 전문가들과 대변혁 과정에 직접 참여하고 있는 사람들의 집단 지혜가 더욱 중요한 것이다.

이 한국어판 《클라우스 슈밥의 제4차 산업혁명》은 평소 제4차 산업혁명에 대해 깊은 관심을 갖고 연구해온 송경진 세계경제연구원장이 원서 책자의 내용과 메시지를 우리나라 독자들에게 정확히 전달한다는 목적에서 한국어로 옮겨 쓴 것이어서 더욱 뜻이 있다고 본다.

모쪼록 이 책이 우리 모두－정부와 기업, 노동자와 소비자, 그리고 우리 사회 모든 구성원－에게 다가오는 제4차 산업혁명 시대를 대비하는 유용한 길잡이가 될 수 있기를 기대해본다.

2016년 4월

사공일 (세계경제연구원 이사장, 전 재무부 장관)

제4차 산업혁명은 이미 시작됐다

현재 우리가 맞닥뜨린 흥미로운 여러 과제 가운데 가장 강력하고 중요한 문제는, 새로 등장한 과학기술 혁명을 어떻게 이해하고 만들어 나갈지에 관한 것이다. 이는 인류의 변화를 수반한다. 오늘날 우리는 삶과 일, 인간관계의 방식을 근본적으로 변화시키는 혁명의 문 앞에 서 있다. 그 규모, 범위 그리고 복잡성complexity을 미루어볼 때, '제4차 산업혁명'은 과거 인류가 겪었던 그 무엇과도 다르다.

우리는 이 새로운 혁명의 속도와 깊이를 아직 완전히 이해하지 못하고 있다. 수십억 인구가 모바일 기기로 연결되어 유례없는 저장 및 처리 능력과 지식에 접근성을 가지게 될 때 발생할 무한한 가능성을 상상해보라. 혹은 인공지능AI, 로봇공학, 사물인터넷IoT, 자율주행자동차, 3D 프린팅, 나노기술, 생명공학, 재료공학, 에너지 저장기술, 퀀텀 컴퓨팅quantum computing 등 폭넓은 분야에서 새롭게 부상하는 과학기술의 약진을 통해 이루어질, 믿기 어려울 정도의 엄청난 융합은 또 어떠한가. 이러한 혁신의 대부분은 아직 초기 단계이지만 물리학, 디지털, 생물학 분야의 경우 기술 융합을 기반으로 서로의 분야를 증폭시키는 발전의 변곡점에 이미 도달해 있다.

새로운 비즈니스 모델의 등장과 기존 시스템의 파괴disruption[1], 그리고 생산과 소비, 운송과 배달 시스템의 재편으로 산업 전반에 걸쳐 거대한 변화가 이루어지고 있다. 사회적으로는 일과 소통하는 방식, 그리고 자신을 표현하고 정보를 교환하며 즐길거리를 누리는 방식에서도 패러다임의 전환이 일어나고 있다. 정부와 기관들에서도 이에 발맞춰 급속한 시스템의 재편이 이루어지고 있으며, 특히 교육과 보건의료, 교통 분야 시스템에서 눈에 띄게 변화가 일어나고 있다. 우리의 행동양식뿐 아니라 생산 및 소비 체제를 변화시킬 과학기술을 활용하는 새로운 방법들이 있다. 외부효과externality와 같은 비용이 발생하기도 하겠지만 자연환경의 재생과 보존 문제를 도울 수 있는 가능성 또한 생겼다.

규모와 속도, 범위를 고려하면 가히 역사적인 변화라 할 수 있다.

신기술의 발전과 수용을 둘러싼 엄청난 불확실성 때문에 제4차 산업혁명이 가져올 변화가 어떤 방식으로 전개될지는 아직 알 수 없다. 그렇지만 과학기술의 복잡성과 여러 분야에 걸친 상호연계성 면에서는 정·재계 및 학계, 시민사회를 포함한 지구촌의 모든 이해관계자stakeholder들이 이 새로운 기류를 보다 더 잘 이해하기 위해 서로 협력할 의무가 있음을 시사한다.

공공의 목표와 가치를 반영한 공동의 미래를 구현하기 위해서는 서로 이해를 공유하는 것이 무엇보다 중요하다. 과학기술이 우리와 후손들의 삶을 어떻게 변화시키고, 우리가 몸담고 있는 경제적·사회적·문화적·인류적 맥락은 또 어떻게 바꿀 것인지에 관해 포괄적이면서도 전 지구적으로 공유하는 시각을 가져야 한다.

이러한 변화는 매우 심오하여, 인류 역사상 지금보다 더 엄청난 가능성 혹은 잠재적 위험성을 수반한 시기는 없었다고 말할 수 있다. 여기서 우려하는 것은 결정권자decision-makers들이 지나치게 전통적·선형적 사고에 얽매이거나 혹은 단기적 문제에 매몰되어 우리의 미래를 만드는 파괴와 혁신의 힘에 대해 전략적으로 생각하지 못하고 있다는 점이다.

일부 학자와 전문가들은 이러한 상황들을 여전히 제3차 산업혁명의 연장선으로 이해하고 있다. 그러나 그와는 현저히 구별되는 제4차 산업혁명이 현재 진행 중이라는 사실을 뒷받침할 만한 세 가지 근거가 있다.

■ 속도Velocity 제1~3차 산업혁명과는 달리, 제4차 산업혁명은 선형적 속도가 아닌 기하급수적인 속도로 전개 중이다. 이는 우리가 살고 있는 세계가 다면적이고 서로 깊게 연계되어 있으며, 신기술이 그보다 더 새롭고 뛰어난 역량을 갖춘 기술을 만들어냄으로써 생긴 결과다.

■ 범위와 깊이Breadth and depth 제4차 산업혁명은 디지털 혁명을 기반으로

다양한 과학기술을 융합해 개개인뿐 아니라 경제, 기업, 사회를 유례없는 패러다임 전환으로 유도한다. '무엇'을 '어떻게' 하는 것의 문제뿐 아니라 우리가 '누구'인가에 대해서도 변화를 일으키고 있다.

■ **시스템 충격**Systems Impact 제4차 산업혁명은 국가 간, 기업 간, 산업 간 그리고 사회 전체 시스템의 변화를 수반한다.

나는 '제4차 산업혁명은 무엇인가?', '무엇을 어떻게 변화시킬 것인가?', '우리에게 어떤 영향을 끼칠 것인가?', '공익을 위해 이를 활용할 수 있는 방법은 무엇인가?'와 같은 질문에 답을 제시하는, 제4차 산업혁명의 입문서로서 이 책을 집필했다. 이 혁명적인 변화를 통해 더 나은 세상으로 만들고자 노력하는 모든 이들을 위한 책이다.

이 책을 쓴 세 가지 목표는 다음과 같다.

■ 과학기술 혁명의 포괄성과 속도, 다면적 영향에 대한 이해와 인식을 드높인다.
■ 핵심 사안의 개요를 설명하고 그에 따른 대응방안을 전달해, 과학기술 혁명에 대해 생각할 수 있는 프레임워크를 제시한다.
■ 과학기술 혁명과 관련된 이슈에 대한 민관 협력과 파트너십을 고취하는 플랫폼을 제공한다.

무엇보다도 이 책은 과학기술과 사회가 공존하는 방법을 모색하는 것이 목표다. 과학기술은 인간이 통제할 수 없는 외부 영역의 힘이 아니다. '(기술을) 수용하고 상생'하거나, '거부하고 차단'해야 하는 양자 택일의 상황만 주어진 것 또한 아니다. 이 극적인 과학기술의 변화를 인간의 정체성과 세계관을 고찰하는 계기로 삼아야 한다. 과학기술 혁명을 어떻게 활용할지 더 많이 고민할수록 인간은 스스로는 물론 이고, 그러한 기술들이 구현하고 가능하게 할 근본적인 사회 모습 또한 더욱 면밀히 살피게 될 것이다. 그리고 더 나은 세상을 지향하는 방향으로 과학기술 혁명을 만들어낼 기회도 많아질 것이다.

제4차 산업혁명이 분열적이고 비인간화dehumanizing되기보다는, 인간에게 힘을 불어넣어주고 인간이 중심이 되게 하는 것은 비단 특정 이해관계자나 부문, 지역, 산업, 문화가 할 수 있는 일이 아니다. 이 혁명의 근본적이고 글로벌한 특성은 모든 국가와 경제, 부문, 개인이 서로에게 영향을 주고 또 영향을 받는다는 것을 의미한다. 따라서 학문적, 사회적, 정치적, 국가적 그리고 산업적 경계를 아우르는 다양한 이해관계자 간의 협력에 관심과 에너지를 투자하는 것이 매우 중요하다. 이러한 교류와 협력을 통해 전 세계의 개인과 조직이 변화의 진행에 참여하여 그 수혜를 입을 수 있도록 하는 긍정적이고 희망찬 공통의 담론을 만들어내야 한다.

이 책에 담긴 정보와 나의 분석 대부분은 세계경제포럼에서 진행하는 프로젝트와 이니셔티브들에 기반을 둔 것이며, 최근 모임에서 개발하고 논의한 내용들이다. 그래서 이 책은 세계경제포럼의 향후 활동을 형성하는 틀도 제공하고 있다. 또한 정·재계 및 시민사회 리더들뿐 아니라, 과학기술 분야 선구자 및 청년들과 나눈 수많은 대화에서도 아이디어를 얻었다. 그런 면에서 세계경제포럼의 여러 모임에서 나온 집단 지혜의 산물인 이 책은 크라우드소스 도서라 할 수 있다.

이 책의 1부는 총 세 개의 챕터로 구성되어 있다. 첫 번째 챕터에는 제4차 산업혁명의 개요를 담았고, 두 번째 챕터에서는 변화를 불러오는 주요 과학기술을 소개한다. 세 번째 챕터에서는 새로운 혁명의 영향과 정책적 도전을 깊이 있게 살펴본다. 그리고 2부에는 이 엄청난 변화를 가장 잘 수용하고 형성하며, 그 가능성을 최대화할 수 있는 방법에 관한 실용적 방안과 해법들을 제안한다.

차례

1부 제4차 산업혁명의 시대

Chapter 1 —— 제4차 산업혁명의 정의

Chapter 2 —— 제4차 산업혁명을 이끄는 기술

2부 제4차 산업혁명의 방법론

제4차 산업혁명의 시대

새로운 기술문명의 시대가 열렸다. 제4차 산업혁명의 시대 속 소프트웨어 기술을 기반으로 생성되는 디지털 연결성이 사회를 근본적으로 변화시키고 있다. 그 영향력의 규모와 변화의 속도로 인해 제4차 산업혁명은 역사상 어떤 산업혁명과도 다른 양상으로 전개되며 사회를 탈바꿈시키고 있다. 빅 데이터, 로봇공학, 인공지능(AI), 클라우드, 사이버안보, 3D 프린팅, 공유경제, 블록체인 등이 주요 기술이다. 이와 같이 과학기술 영역의 경계가 사라지면서 만들어낸 충격적인 합작의 결과물들이 지금 쏟아져 나오고 있다.

제4차 산업혁명 이후 인간의 삶은 완전히 바뀌게 될 것이다.

Chapter 1

제4차 산업혁명의
정의

역사적 의의

'혁명'은 급진적이고 근본적인 변화를 의미한다. 역사 속 혁명은 신기술과 새로운 세계관이 경제체제와 사회구조를 완전히 변화시킬 때 발생했다. 준거의 틀이 되는 역사를 통해 이러한 갑작스러운 변화는 수년에 걸쳐 전개된다는 것을 알 수 있다.

약 1만 년 전, 수렵·채집생활을 하던 인류는 농경생활이라는 첫 번째 큰 변화를 맞았다. 몇몇 동물을 가축으로 키우면서 시작된 일이었다. 농업혁명은 생산, 운송, 의사소통을 목적으로 한 인간과 가축의 노력이 맞물려 발생했다. 점차 식량 생산이 나아지면서 인구도 늘어나 많은 사람이 정착하게 되었다. 그 결과 도시화가 이루어지고 여러 도시들이 생겨났다.

농업혁명 이후, 18세기 중반부터 일련의 산업혁명이 발생했다. 이 때문에 인간의 노동력이 기계의 힘으로 옮겨 가는 엄청난 변화가 일어났다. 이는 다시, 오늘날 강화된 인지력이 인간의 생산성을 증대시키는 제4차 산업혁명으로 진화하고 있다.

1760~1840년경에 걸쳐 발생한 제1차 산업혁명은 철도 건설과 증기기관의 발명을 바탕으로 기계에 의한 생산을 이끌었다. 19세기 말에서 20세기 초까지 이어진 제2차 산업혁명은 전기와 생산 조립 라인의 출현으로 대량생산을 가능하게 했다. 1960년대에 시작된 제3차 산업혁명은 반도체와 메인프레임 컴퓨팅mainframe computing(1960년대), PCpersonal computing(1970년대와 1980년대), 인터넷(1990년대)이 발달을 주도했다. 그래서 우리는 이를 '컴퓨터 혁명' 혹은 '디지털 혁명'이라고도 말한다.

이 세 가지 산업혁명을 설명하는 다양한 정의와 학문적 논의를 살펴봤을 때, 오늘날 우리는 제4차 산업혁명의 시작점에 있다고 말할 수 있다. 디지털 혁명을 기반으로 한 제4차 산업혁명은 21세기의 시작과 동시에 출현했다. 유비쿼터스 모바일 인터넷ubiquitous and mobile internet, 더 저렴하면서 작고 강력해진 센서, 인공지능과 기계학습machine learning이 제4차 산업혁명의 특징이다.

컴퓨터 하드웨어와 소프트웨어, 네트워크가 핵심인 디지털 기술은 우리에게 더는 새로운 개념이 아니다. 그러나 제3차 산업혁명 이후 더욱 정교해지고 통합적으로 진화한 디지털 기술은 사회와 세계 경제의 변화를 이끌고 있다. 매사추세츠 공과대학교MIT의 에릭 브린욜프슨Eric Brynjolfsson 교수와 앤드루 맥아피Andrew McAfee 교수는 이런 현상을 '제2의 기계 시대the second machine age'²라 칭하며, 동명의 저서를 출간했다. 《제2의 기계 시대》에서는 오늘날 세계는 디지털 기술의 영향력이 자동화로 '완벽한 힘full force'을 갖추고 '전례 없는 새로운 것unprecedented things'들을 만들어내기 시작하는 변곡점의 시기에 있다고 말한다.

독일에서는 '인더스트리Industry 4.0'에 대한 논의가 진행되고 있다. 2011년 하노버 박람회Hannover Fair에서 처음 등장한 인더스트리 4.0은 기술이 글로벌 가치사슬global value chain 구조를 근본적으로 어떻게 바꾸게 되는지 설명하는 용어다. 제4차 산업혁명은 '스마트 공장smart factories'의 도입을 통해, 전 세계적으로 제조업의 가상 시스템과 물리적 시스템이 유연하게 협력할 수 있는 세상을 만든다. 그러면 상품의 완전한 맞춤생산customization이 가능해지고 새로운 운영 모델이 발생할 수 있다.

제4차 산업혁명은 단순히 기기와 시스템을 연결하고 스마트화하는 데 그치지 않고 훨씬 넓은 범주까지 아우른다. 유전자 염기서열분석gene sequencing에서 나노기술, 재생가능에너지에서 퀀텀 컴퓨팅까지 다양한 분야에서 거대한 약진이 동시다발적으로 일어나고 있다. 이 모든 기술이 융합하여 물리학, 디지털, 생물학 분야가 상호교류하는 제4차 산업혁명은 종전의 그 어떤 혁명과도 근본적으로 궤를 달리한다.

과거의 산업혁명보다도 제4차 산업혁명에서 출현하는 신기술과 광범위한 혁신은 더욱 빠르고 폭넓게 확산 중이지만, 지구촌 곳곳에서는 아직도 과거의 산업혁명이 지속되고 있다. 세계 인구의 17퍼센트가 아직 제2차 산업혁명을 경험하지 못한 상태다. 아직도 전기를 사용하기 어려운 사람이 약 13억 명에 이른다. 제3차 산업혁명 역시 마찬가지다. 전 세계 인구의 절반이 넘는 40억 명은 인터넷을 사용하지 못하고 있으며, 이들 대부분이 개발도상국에 살고 있다. 제1차 산업혁명을 대표하는 기계 부품인 '축spindle'이 유럽 이외의 지역에 보급되는 데 120년 가까운 시간이 걸렸다. 반면 인터넷이 전 세계에 확산되는 데는 10년도 채 걸리지 않았다.

기술 혁신의 수용 정도가 사회 발전을 결정하는 주요 요인이라는 제1차 산업혁명의 교훈은 여전히 유효하다. 정부와 공공 기관, 민간 부문 모두 각자의 역할을 잘해야 하지만, 시민들이 산업혁명을 통해 얻게 될 장기적 혜택을 자각하는 것이 무엇보다 중요하다.

제4차 산업혁명은 앞선 세 번의 산업혁명과 마찬가지로 모든 면에서 강력하고 엄청난 영향력을 행사하며, 역사적으로 큰 의미를 지니게 될 것이다. 그러나 제4차 산업혁명이 보다 더 효과적이고 응집력 있게 실현되는 것을 가로막는 다음 두 가지 사안이 우려된다.

첫째, 제4차 산업혁명에 대응하기 위해 정치·경제·사회 체제를 재고해볼 필요성이 큰 데 반해, 전 분야에 걸쳐 요구되는 리더십의 수준과 현재 진행 중인 이 급격한 변화에 대한 이해력은 현저히 낮다. 그 결과 국가적, 세계적으로 혁신의 전파를 관리하고 혼란을 완화시키는 데 필요한 제도적 체계가 부족하거나, 최악의 경우 아예 부재한다는 것이 현실이다.

둘째, 제4차 산업혁명이 제공할 기회와 도전의 기틀을 형성하고 일관성을 갖춘, 긍정적이고 보편적인 '담론narrative'이 부족하다. 다양한 개인과 집단에게 힘을 실어주고, 근본적 변화에 대한 대중의 반발을 방지하기 위해 이러한 담론은 반드시 필요하다.

새로운 시대의 서막

the fourth industrial revolution

이 책은 과학기술과 디지털화가 모든 것을 완전히 바꿀 것이라는 점을 전제로 한다. 흔히들 말하는 "이번은 다르다This time is different"는 말이 적확하다. 우리는 주요 과학기술 혁신이 전 세계에 일으킬 중대한 변화를 목전에 두고 있다. 이는 피할 수 없는 현실이다.

이토록 파괴적 변화와 혁신을 극심하게 체감하는 이유는 그 규모와 범위 때문이다. 혁신의 발전과 전파 속도는 그 어느 때보다 빠르다. 오늘날 크게 각광받고 있는 에어비앤비Airbnb, 우버Uber, 알리바바Alibaba 등과 같은 파괴적 혁신기업disruptor은 불과 몇 년 전만 해도 비교적 잘 알려지지 않은 기업이었다. 유비쿼터스 아이폰이 2007년에 첫 출시된 이래로 2015년 말 스마트폰 사용자는 20억 명에 달했다. 구글은

2010년 자사의 첫 자율주행자동차를 선보였다. 곧 전 세계 어디에서 나 자율주행자동차를 쉽게 찾아볼 수 있을 정도로 보편화될지도 모른다.

혁신의 속도뿐 아니라 그 규모수익returns to scale 또한 놀라운 수준 으로 성장했다. 디지털화는 자동화automation를 의미하며, 이는 더 이상 기업에 '수확체감의 법칙diminishing returns to scale'(자본과 인력 등 생산요소를 투입할수록 생산량이 많아지는 것이 당연하지만, 한계점에 도달하고 난 뒤에는 오히려 생산요소를 투입할수록 생산량이 낮아진다는 경제법칙- 옮긴이 주)이 적용되지 않는다는 뜻이다. 이를 체감하기 위해, 1990년 당시 전통산업의 중심지였던 디트로이트와 2014년의 실리콘밸리를 금액으로 환산해 살펴보자. 1990년 디트로이트 3대 대기업의 시가총액은 360억 달러, 매출 2,500억 달러, 근로자는 120만 명이었다. 2014년 실리콘밸리에서 가장 큰 기업 세 곳의 경우, 시가총액은 훨씬 높았고(1조 900억 달러) 매출은 디트로이트와 비슷했으나(2,470억 달러), 근로자의 수는 10분의 1 정도(13만 7,000명)에 불과했다.[3]

디지털 사업의 경우 한계비용marginal costs이 제로에 가까워지면서 10~15년 전보다 훨씬 적은 노동력으로 더 많은 수익을 창출할 수 있게 되었다. 더욱이 디지털 시대의 많은 기업이 사실상 저장, 운송, 복제에 드는 비용이 거의 없는 '정보재information goods'를 제공한다. 실제로 몇몇 파괴적 테크놀로지 기업은 소자본으로 큰 성장을 이루어냈다. 인스타그램Instagram이나 왓츠앱WhatsApp과 같은 기업들이 제4차 산업혁명에서는 사업 규모와 자본의 상관성이 낮아졌음을 보여주는 사례다. 규모수익은 성장에 영향을 미치고 전체 시스템을 변화시킨다.

제4차 산업혁명은 진행 속도와 범위 외에도 수많은 분야와 발견이 끊임없이 융합하고 조화를 이루는 독특한 습성을 지니고 있다. 서로 다른 과학기술이 상호의존하여 창출한 획기적인 상품은 더 이상 SF 소설 속 이야기가 아니다. 실례로 디지털 제조digital fabrication와 생물학 분야의 합작이 성사되었다. 몇몇 디자이너와 건축가는 이미 전산설계computational design, 적층가공additive manufacturing, 재료공학, 합성생물학을 접목해 미생물과 인간의 신체, 소비재와 거주 건물까지 포괄하는 시스템을 개척하는 중이다. 이런 방식으로 그들은 연속적으로 변화하고 적응하는(동식물 세계의 특징)[4] 사물을 만들고 (심지어 성장시키고) 있다.

브린욜프슨과 맥아피는 《제2의 기계 시대》에서 컴퓨터는 매우 비상하기 때문에 몇 년 후에는 어떤 애플리케이션으로 활용될지 사실상 예측하기 어렵다고 말한다. 자율주행자동차와 드론에서부터 가상 비서virtual assistant와 번역 소프트웨어에 이르기까지, 인공지능은 우리 생활 속 어디에서나 쉽게 찾아볼 수 있다. 인간의 삶을 바꾸고 있는 것이다.

비약적으로 급증한 연산력과 방대한 양의 데이터 유효성으로 눈부신 성장을 거듭한 인공지능은 신약 개발 소프트웨어부터 문화적 관심사를 예측하는 알고리즘 개발까지 가능하다. 이러한 대부분의 알고리즘은 우리가 디지털 세상에 남기는 데이터의 '빵 부스러기' 같은 흔적을 따라 생성된다. 이 때문에 새로운 형태의 기계학습뿐 아니라

지능로봇과 컴퓨터가 스스로 프로그래밍을 해 기본 원칙들에서 최적의 솔루션을 찾아내는 자동탐색automated discovery 역시 가능해졌다.

애플의 시리Siri 같은 애플리케이션은 급진전한 인공지능의 저력을 보여주는 대표적인 사례로, 소위 인공지능 비서intelligent assistants라 불린다. 불과 2년 전만 해도 인공지능 개인비서intelligent personal assistants는 막 시작하는 단계였지만, 현재 음성인식 기술과 인공지능이 매우 빠르게 성장하고 있어 머지않아 컴퓨터와의 대화가 보편화될 것으로 예상된다. 또한 사용자의 요구를 접수하고 처리하기 위해 지속적으로 정보를 수집하는 로봇 개인비서의 등장도 가능해질 것이다. 기술 전문가들은 이를 '앰비언트 컴퓨팅ambient computing'이라고 칭한다. 우리가 쓰는 기기들은 따로 요청하지 않아도 우리 이야기를 들으며 요구를 예측하고, 필요한 순간 우리를 도우면서 점차 인간 생태계의 일부로 자리 잡을 것이다.

제4차 산업혁명 체제적 요인으로 심화되는 불평등

제4차 산업혁명은 인류에게 엄청난 혜택을 제공하는 한편, 그에 상응하는 과제도 안겨줄 것이다. 특히 악화 일로의 불평등은 매우 심각한 문제다. 대다수의 사람이 소비자이자 생산자라는 특성으로 인해 심화될 이 문제를 단순 수치화하기는 어렵다. 이처럼 혁신과 파괴는 우리 삶의 질과 복지에 긍정적, 부정적 영향을 모두 끼칠 것이다.

제4차 산업혁명에서 가장 많은 혜택을 받는 집단은 소비자다. 삶의 효율성을 높이는 새로운 상품과 서비스 등의 재화를 거의 무상으로 활용할 수 있기 때문이다. 택시를 부르거나 항공편을 검색하고 물건을 구매하며 가격을 지불하고 음악과 영화를 감상하는 모든 일이 이제는 원격으로 가능하다. 소비자가 누리게 될 과학기술의 혜택에 반박의 여지는 없다. 인터넷과 스마트폰, 수많은 앱을 통해 더욱 간편하고 생산적인 생활이 가능해질 것이다. 오늘날 책을 읽거나 정보를 검색하고 타인과 소통하는 데 쓰이는 태블릿과 같은 간단한 기기의 능력은 30년 전 데스크톱 5,000개의 처리 능력과 맞먹지만, 정보 저장 비용은 무상에 가깝다. (1기가바이트를 저장하는 비용은 20년 전 1만 달러를 상회했지만 현재는 연평균 0.03달러에도 미치지 않는다.)

제4차 산업혁명으로 인한 문제는 대부분 공급과 관련된 노동과 생산 부분에서 발생한다. 지난 몇 년간 대다수의 선진국 및 중국과 같이 빠른 경제성장을 이룬 나라에서는 국내총생산GDP에서 노동이 차지하는 비율이 상당히 하락했다. 하락분의 절반 이상은 투자재 investment goods[5]의 상대가격이 크게 하락했기 때문인데, 이는 혁신의 발전으로 기업이 자본으로 노동을 대체하면서 발생한 현상이다.

그 결과 제4차 산업혁명의 수혜자는 이노베이터innovator, 투자자, 주주와 같은 지적·물적 자본을 제공하는 사람들이다. 이에 따라 노동자와 자본가 사이 부의 격차는 갈수록 커지고 있다. 이런 상황에서 노동자들은 향후 평생 동안 실질소득을 높일 수 없다거나 자녀와 후손이 자신보다 더 나은 삶을 누리지 못할 수도 있다는 생각과 함께 절망에 빠질지도 모른다.

커가는 불평등과 불공평에서 비롯되는 치명적인 문제점은 '챕터 3'

에서 집중적으로 살펴보겠다. 일부 소수의 사람들에게 혜택과 가치가 집중되는 현상이 가중되는 이유는 플랫폼 효과platform effect 때문이다. 디지털 기업들은 이 효과를 사용하여 폭넓은 상품과 서비스로 구매자와 판매자를 연결시키는 네트워크를 창출해 규모수익의 증대를 누린다.

플랫폼 효과는 시장을 지배하는 강력한 몇몇 소수 플랫폼으로의 집중 현상을 초래한다. 특히 소비자에게는 높은 가치와 합리적이고 저렴한 가격이라는 명백한 혜택이 존재한다. 그러나 동시에 사회적 위험도 발생한다. 가치와 힘이 소수에게 집중되는 것을 막기 위해 공동 혁신에 대한 개방성과 기회를 보장하고, (산업 플랫폼을 포함한) 디지털 플랫폼의 혜택과 위험성 사이에서 균형을 이루는 방법을 모색해야 한다.

이 모든 상황은 정치·경제·사회 체제에 영향을 미치는 본질적인 변화다. 이는 세계화 과정 자체가 역행한다 해도 되돌리기 어려운 현실이다. 이제 모든 산업과 기업은 '파괴적 혁신을 해야 하는가?'가 아닌, '파괴적 혁신은 언제, 어떤 형태로 올 것이며 우리 자신과 조직에 어떤 영향을 미칠 것인가?'를 생각해야만 한다.

다가올 파괴적 변화라는 현실과 그 영향을 피할 수 없다는 것이 인간의 무력함을 뜻하는 것은 아니다. 정책 선정의 기준이 되는 공통의 가치를 확립해, 제4차 산업혁명이 모든 사람에게 기회를 주는 변화가 되도록 이끄는 것은 바로 우리의 몫이다.

Chapter 2

제4차 산업혁명을
이끄는 기술

물리학(Physical) 기술

the fourth industrial revolution

수많은 기업 및 기관, 단체 등에서 제4차 산업혁명을 이끌 다양한 과학기술 순위 목록을 작성했다. 그들이 만들어내는 과학적 약진과 신기술은 다채로운 영역과 분야에서 전개되고 있어 그 한계를 예측하기조차 어렵다. 여기서 소개할 핵심 기술은 세계경제포럼의 연구와 포럼 내부 글로벌어젠다카운슬Global Agenda Councils의 다양한 결과물을 바탕으로 선정한 것이다.

모든 신개발과 신기술에는 하나의 공통된 특성이 존재한다. 디지털화와 정보통신기술의 광범위한 힘을 활용한다는 점이다. 이번 챕터에서 소개할 모든 혁신은 디지털 능력을 기반으로 구현되고 성장했다. 일례로 유전자 염기서열분석은 연산력과 데이터 분석의 발전 없이는 불가능했다. 첨단로봇도 인공지능이 없었다면 존재할 수 없으며, 인공지능 또한 그 자체가 연산력에 기반하고 있다.

이러한 메가트렌드megatrend를 정확히 이해하고, 제4차 산업혁명을 이끌 과학기술 요인들을 조망하기 위해 물리학 기술, 디지털 기술, 생물학 기술로 분류했다. 이 세 분야 모두 서로 깊이 연관되어 있으며, 각 분야에서 이루어진 발견과 진보를 통해 서로 이익을 주고받는다.

먼저 메가트렌드를 이루는 주요 물리학 기술은 다음 네 가지다. 실재하기 때문에 가장 쉽게 알 수 있는 기술들이다.

무인운송수단

자율주행자동차가 연일 뉴스에 보도됐지만 이제는 그뿐 아니라 드론, 트럭, 항공기, 보트를 포함한 다양한 무인운송수단이 등장한다. 센서와 인공지능의 발달로, 자율 체계화된 모든 기계의 능력이 빠른 속도로 향상되고 있다. 불과 몇 년 후면, 저가의 상업용 드론과 잠수정이 다른 응용프로그램에 활용될 것이다.

현재 드론은 주변 환경의 변화를 감지하고 그에 맞추어 반응하는 (충돌을 피하기 위해 비행경로를 변경하는 등) 기술을 갖추었다. 곧 전력선 점검이나 교전 지역에 의료물품을 전달하는 업무 등을 수행할 수 있을 것이다. 농업 분야에서는 데이터 분석 능력을 장착한 드론의 활용이 가능하다. 예를 들면, 수집한 데이터를 분석하여 물과 비료 등을 보다 정밀하고 효율적으로 사용할 수 있게 될 것이다.

3D 프린팅

'적층가공additive manufacturing'이라 불리는 3D 프린팅은 입체적으로 형성된 3D 디지털 설계도나 모델에 원료를 층층이 겹쳐 쌓아 유형의 물체를 만드는 기술이다. 오늘날까지 널리 활용되는 기존의 절삭가공 subtractive manufacturing은 설계된 모양이 형상화될 때까지 재료의 층을 자르거나 깎아서 생산하는 기술이다. 반면 3D 프린팅은 디지털 견본을 사용하여 유연한 소재로 3차원의 물체를 만들어낸다.

3D 프린팅 기술은 대형 풍력발전기부터 소형 의료 임플란트에 이르기까지 광범위하게 응용되고 있다. 현재는 주로 자동차, 항공우주, 의료 산업에 한정되어 활용 중이다.

대량생산 제품과 달리 3D 프린팅 제품은 쉽게 맞춤생산이 가능할 것이다. 3D 프린터의 크기와 가격, 프린팅 속도라는 제약이 빠르게 개선되고 있으며, 회로판 같은 통합전자부품integrated electronic components 에서부터 심지어 인간 세포 및 장기까지 포괄할 정도로 적용 범위가 확장될 것이다. 연구자들은 이미 4D 프린팅 연구에 착수하여, 열과 습도 등의 환경 변화에 반응하는 능력을 갖춘 자가변형self-altering 기기의 출현이라는 새 시대의 서막을 올렸다. 4D 프린팅 기술은 인체에 적응하도록 설계된 임플란트 같은 건강 관련 제품뿐 아니라 의류와 신발에도 활용될 수 있다.

첨단 로봇공학

최근까지만 해도 로봇의 역할은 자동차 등 특정 산업의 통제된 업무 수행에 국한되어 있었다. 그러나 오늘날 정밀농업에서 간호까지 전 분야에 걸쳐 광범위한 업무를 처리할 만큼 활용도가 높아지고 있다. 로봇공학의 급속한 진보는 인간과 기계의 협력을 일상적인 현실로 만들 것이다. 다양한 분야의 기술 발전에 힘입어 복잡한 생물학적 구조(자연 생물체의 특성과 원리를 산업 전반에 적용시키는 '생체모방 biomimicry'의 연장선상)를 차용할 수 있게 됨에 따라 로봇의 구조 및 기능적 디자인은 더욱 뛰어난 적응성과 유연성을 갖추어가고 있다.

센서의 발달로 로봇은 주변 환경을 더 잘 이해하고 그에 맞춰 대응도 하며, 가사 등 보다 폭넓고 다양한 업무를 수행할 수 있게 되었다. 자율유닛autonomous unit을 통해 프로그래밍되었던 과거와 달리, 로봇은 이제 클라우드 서버를 통해 원격 정보에 접근이 가능하고, 다른 로봇들과 네트워크로 연결될 수 있다. 차세대 로봇은 그 중요성이 강조되는 '인간과 기계의 협업'을 중점으로 개발될 것이다. 인간과 기계의 관계에서 발생하는 윤리적, 심리적 문제는 '챕터 3'에서 살펴보겠다.

신소재

몇 년 전만 해도 상상조차 어려웠던 기능을 갖춘 신소재가 속속 시장에 등장하고 있다. 전반적으로 더욱 가볍고 강하며 재생가능하고 적응성이 높아졌다. 자가 치유와 세척이 가능한 소재, 형상기억합금, 압전세라믹과 수정 등 스마트 소재를 활용한 제품들이 있다.

제4차 산업혁명이 구현한 여러 혁신처럼, 신소재 발전이 어떤 방향으로 전개될지 예상하기는 쉽지 않다. '그래핀graphene'과 같은 최첨단 나노 소재를 예로 들어보자. 그래핀은 강철보다 200배 이상 강하고, 두께는 머리카락의 100만분의 1 정도로 매우 얇으며, 뛰어난 열과 전기의 전도성을 갖추고 있다.[6] 그래핀이 가격 경쟁력까지 갖추게 된다면 (1마이크로미터 크기의 그래핀 가격은 1,000달러 이상으로, 그램g으로 환산해보면 지구상 가장 비싼 물질이다.) 제조업과 인프라 산업의 판도를 뒤흔들게 될 것이다.[7] 또한 특정 원자재에만 의존하는 국가에 막대한 영향을 끼칠 것이다.

여타의 신소재들도 전 세계가 직면한 어려움을 해소하는 데 주요한 역할을 할 수 있다. 예를 들어, 열경화성플라스틱thermoset plastics의 새로운 혁신으로, 모바일폰과 회로판, 항공우주산업에 이르기까지 모든 분야에서 사용됐으나 재활용이 불가능한 것으로 여겨졌던 소재의 재활용이 가능해졌다. 최근 새로 발견된 폴리헥사하이드로트리아진 PHTs, polyhexahydrotriazines은 재활용이 가능한 열경화성 고분자로, 이 소재를 활용하여 성장과 필요 자원을 분리시키는 설계와 노력을 통해 자원의 재활용을 꾀하는 순환경제circular economy에 한 발 더 나아갈 수 있게 되었다.[8]

디지털(Digital) 기술

the fourth industrial revolution

제4차 산업혁명으로 실물과 디지털의 연계를 가능하게 한 주요 기술 중 하나인 '사물인터넷'은 종종 '만물인터넷internet of all things'이라고도 불린다. 요약하면 상호연결된 기술과 다양한 플랫폼을 기반으로 한 사물(제품, 서비스, 장소 등)과 인간의 관계로 설명할 수 있다.

실생활과 가상 네트워크를 연결해주는 센서와 여러 장비들이 놀랄 만한 속도로 쏟아져 나오고 있다. 더 작고 저렴하며 스마트해진 센서들은 제조 공정뿐 아니라 집, 의류, 액세서리, 도시, 운송망과 에너지 네트워크 분야에까지 내장되어 활용되고 있다. 오늘날 전 세계적으로 스마트폰, 태블릿, 컴퓨터와 같이 인터넷과 연결된 기기들은 셀 수 없이 많아졌다. 향후 몇 년간 그 수가 기하급수적으로 늘어나, 적게는 수십억에서 많게는 수조에 이를 것으로 보인다. 이것은 매우 세밀하게 우리의 자산과 활동을 모니터하고 활용을 극대화하는 것을 가능하게 해, 공급망 관리 방식을 근본적으로 변화시킬 것이다. 이 과정에서 제조업부터 사회기반시설 및 보건의료까지 모든 산업이 영향을 받게 된다.

사물인터넷이 가장 광범위하게 활용되는 원격 모니터링 기술을 살펴보자. 기업은 모든 상자와 화물운반대, 컨테이너에 센서와 송신기 혹은 전자태그RFID, radio frequency identification를 부착시켜, 공급망에 따라 이동할 때마다 위치 및 상태를 추적할 수 있다. 마찬가지로 소비자 역시 물품이나 서류의 배송 상황을 거의 실시간으로 확인할 수 있다. 공급망 경로가 길고 복잡한 사업을 운영하는 기업에게는 혁신적인 기술이다. 빠른 시일 안에 이러한 모니터링 시스템은 사람의 이동과 추적에도 활용될 것이다.

디지털 혁명은 기존의 개인과 기관의 참여와 협업 방식을 완전히 뒤바꿔 새로운 접근법을 만들어냈다. 예를 들어, '분산원장distributed ledger' 방식인 블록체인blockchain은 거래 기록과 승인이 이루어지기 전에 컴퓨터 네트워크상에서 참여자들 공동의 검증을 받아야 하는 보안 프로토콜이다. 블록체인은 서로 모르는 (그래서 신뢰 기반이 없는 관계의) 사용자들이 제3의 관리나 중앙원장과 같은 중립적 중앙당국의 개입 없이 공동으로 만들어나가는 시스템이라 믿을 수 있다. 프로그래밍이 가능한 블록체인은 암호화된 보안으로 모두에게 공유되기 때문에 특정 사용자가 시스템을 통제할 수 없고, 참여자 모두에게 검증을 받아야 하므로 더욱 신뢰할 수 있는 거래 원장이다.

현재 가장 대표적인 블록체인 시스템은 비트코인Bitcoin이지만, 기술 발달로 인해 곧 수많은 유사 시스템이 등장할 것이다. 지금은 이 기술을 활용하여 비트코인과 같은 디지털 화폐를 통해 금융거래가 가능하지만, 앞으로는 각종 기관을 대신해 출생 및 사망증명서, 소유권, 결혼증명서, 학위 등의 문서 발급은 물론, 보험금 청구와 의료 기록, 투표에 이르기까지 코드화할 수 있는 모든 종류의 거래가 블록체인 시스템을 통해 가능해질 것이다. 몇몇 국가와 기관은 이미 블록체인의 잠재성에 투자하기 시작했다. 온두라스Honduras 정부는 토지 등기 시스템에, 영국령 맨섬Isle of Man은 기업 등록 시스템에 블록체인 기술을 적용하고 있다.

조금 더 넓은 범위에서 살펴보면 기술 발전으로 생긴 플랫폼으로 인해, 온디맨드(주문형) 경제on-demand economy('공유경제'로도 불린다)가 실현되었다. 스마트폰으로 쉽게 접근 가능한 플랫폼은 사람과 자산, 데이터를 한데 모아 재화와 서비스를 소비하는 방식을 완전히 뒤바꿔 놓았다. 이러한 플랫폼은 개인은 물론 전문 분야까지 폭넓게 환경을 변화시켜, 개인과 기업 간의 장벽을 낮추어 부의 창출을 촉진시킨다.

우버는 과학기술 플랫폼의 파괴적인 힘을 보여주는 완벽한 모델이다. 이러한 플랫폼 비즈니스는 세탁, 쇼핑, 집안일, 주차, 홈스테이에서 장거리 합승까지 다양한 영역에서 새로운 서비스를 제공하며 급속도로 성장하고 있다. 이 사업체들은 한 가지 공통점이 있다. 접근 가능한 (저렴한 가격의) 수준에서 공급과 수요를 성사시키고, 소비자에게 다양한 상품을 제공하며, 공급과 수요 양측이 교류하고 피드백을 주고받을 수 있도록 하여 신뢰를 심어주는 것이다. 이러한 플랫폼은 충분히 활용되지 못한 자산들, 즉 단 한 차례도 자신을 공급자로 생각해본 적 없는 사람들이 자신의 소유물과 가치(자동차의 빈 자리, 집에 남는 방, 소매업자와 제조업자 간의 상업적 거래 중개자, 배달이나 집수리 또는 행정업무 처리를 해줄 수 있는 시간과 기술)를 효율적으로 사용하도록 만든다.

온디맨드 경제는 "플랫폼 구축과 기초 자산 보유, 둘 중 무엇이 더 가치 있는가?"라는 근본적인 질문을 던진다. 미디어 전략가인 톰 굿윈Tom Goodwin은 2015년 3월 《테크크런치TechCrundch》에 아래와 같은 글을 기고했다.

"세계에서 가장 큰 택시 기업인 우버는 소유하고 있는 자동차가 없고, 세계에서 가장 많이 활용되는 미디어인 페이스북Facebook은 콘텐츠를 생산하지 않는다. 세계에서 가장 가치 있는 소매업체인 알리바바는 물품 목록이 없으며, 세계에서 가장 큰 숙박 제공업체인 에어비앤비는 소유한 부동산이 없다."[9]

디지털 플랫폼은 개인이나 조직이 자산을 활용하여 거래를 하거나 서비스를 제공할 때 발생하던 거래비용과 마찰비용을 대폭 감소시켰다. 오히려 각각의 거래가 발생할 때마다 아주 미세한 증가분까지 나눌 수 있어 참여자 모두에게 돌아가는 경제적 이익이 커진 셈이다. 또한 상품, 재화, 서비스를 추가로 생산할 때마다 발생하는 한계비용 역시 제로에 수렴한다. 기업과 사회에 중대한 시사점을 던지는 디지털 플랫폼은 '챕터 3'에서 좀더 자세히 들여다보도록 하자.

생물학(Biological) 기술

the fourth industrial revolution

생물학 분야, 특히 유전학의 혁신은 깜짝 놀랄 정도다. 과학기술의 발달로 유전자 염기서열분석의 비용은 줄고 절차는 더 간소해졌으며, 최근 유전자 활성화 및 편집edit 기술까지 가능해졌다. 인간게놈프로젝트Human Genome Project를 완성하는 데 10년이 넘는 시간과 27억 달러의 비용이 들었다. 오늘날 게놈 시퀀싱 작업에 단 몇 시간과 1,000달러도 안 되는 비용만 소요하면 된다.[10] 진보한 연산력 덕분에 과학자들은 더는 시행착오를 겪지 않으면서, 특정 유전변이가 어떻게 유전적 특성과 질병을 일으키는지를 연구한다.

다음 단계는 합성생물학Synthetic biology이다. 이 기술로 DNA 데이터를 기록하여 유기체를 제작할 수 있다. 여기서 발생하는 윤리적 쟁점은 잠시 접어두고 보면, 합성생물학의 발전은 의학 분야에 직접적인 영향을 줄 뿐 아니라 농업과 바이오 연료 생산에도 해법을 제시할 수 있다.

심장병, 암과 같은 수많은 난치병에는 유전적 요소가 있다. 따라서 인간의 유전자 구성을 밝히는 데 효율적이고 비용 대비 효과가 큰 방법(일반진료 시 유전자 서열분석 기기 활용 등)이 발견됨에 따라, 효과적인 개인 맞춤형 헬스케어라는 혁신이 일어날 것이다. 암 발병에 관여하는 유전자 구성을 밝힘으로써, 의사는 환자에 적합한 암 치료법을 결정할 수 있게 된다.

유전표지genetic markers와 질병 사이에 아직 밝혀지지 않은 부분이 많다. 그러나 데이터가 축적될수록 개인별 맞춤의료 서비스인 정밀의료가 가능해지고 예후가 좋은 표적치료법도 발전할 수 있다. 이미 IBM의 슈퍼컴퓨터 '왓슨Watson' 시스템은 몇 분 만에 질병과 치료 기록, 정밀검사와 유전자 데이터 등을 거의 완벽한 최신 의학지식으로 비교·분석하여 암 환자들에게 개인 맞춤형 치료법을 권해준다.[11]

생물학 분야에서 편집이 가능하다는 것은 곧 어떤 종류의 세포에도 이를 적용할 수 있다는 의미다. 인간을 포함한 성체세포를 변형할 수 있을 뿐 아니라 유전자 변형 동식물도 만들어낼 수 있다는 것이다. 1980년대의 유전공학에 비해, 더욱 정밀하고 효과적이며 손쉽게 활용할 수 있는 방법을 제시해준다. 사실상 빠르게 발전하고 있는 생물학의 한계는 기술적인 문제가 아닌 법, 규제, 그리고 윤리의 문제다. 실제로 적용 가능한 분야는 매우 넓어져, 동물의 유전자를 변형시켜

보다 경제적이고 지역 환경에 더 적합한 방식으로 기를 수 있게 되었고, 극단적 기후나 가뭄에서도 자랄 수 있는 식용작물을 재배할 수 있다.

유전공학 연구가 활발해져(가령 유전자 조작·치료 가위기술인 '크리스퍼CRISPR/Cas9' 등) 기술의 실질적 적용과 특이성을 극복할 수 있게 되면서 가장 어려운 윤리적 문제가 대두되었다. 바로 '의학 연구와 치료에 유전자 편집 기술이 얼마나 큰 변화를 가져올 것인가?'에 대한 문제다. 원칙적으로 의약품과 다른 형태의 치료법을 만들어내기 위해 동식물은 유전공학적으로 조작될 수 있다. 소의 유전자를 조작해 혈우병 환자에게 부족한 혈액응고 요소가 첨가된 우유를 생산하게 될 날이 머지않았다. 인간에게 이식할 장기를 돼지의 몸 안에서 기르기 위해 유전자를 조작하는 연구도 이미 진행 중이다. (단, 이종이식은 인체의 면역 거부 반응과 동물의 질병이 인간에게 전이될 위험성 때문에 아직까지는 실행되지 못하고 있다.)

여러 분야의 기술이 융합되어 서로 다른 분야에 영향을 주고받으며 성장해나가는 것과 같은 맥락에서 3D 제조업은 조직 복구와 재생을 위한 생체조직을 만들어내기 위해 유전자 편집 기술과 결합한 것이다. 이를 바이오프린팅bioprinting(생체조직 프린팅 기술)이라고 한다. 이미 이 기술을 이용해 피부와 뼈, 심장과 혈관 조직을 만들어냈다. 훗날, 3D 프린터로 출력한 간세포를 여러 층으로 쌓아올려 이식용 장기를 만들 수도 있을 것이다.

우리의 활동량을 모니터하고 혈액화학값을 분석한 후, 이러한 신체

컨디션이 웰빙과 정신건강, 가정과 직장에서의 생산성에 관계하는지를 알 수 있게 해주는 기기들을 활용하는 방법도 개발 중이다. 또한 인간의 뇌 기능에 대해서도 많은 부분이 밝혀졌으며, 신경과학 기술 분야에서는 흥미진진한 발전이 이어지고 있다. 지난 몇 년간 세계에서 가장 많은 지원금을 받은 연구 중 두 가지 프로그램이 바로 뇌과학 분야라는 사실이 이를 증명한다.

생물공학은 사회적 규범과 규제를 만드는 데 가장 어려움이 많을 것으로 예상되는 분야다. 인간이란 무엇인지, 자신의 신체 및 건강 관련 데이터와 정보를 타인과 공유할 수 있는지 또는 공유해도 되는지, 다음 세대를 생각했을 때 우리에게 유전자 코드를 조작할 권리가 있는지, 그렇다면 우리가 가져야 할 책임감은 무엇인지 등에 관한 새로운 질문들이 우리 앞에 있다.

유전자 편집 문제로 돌아가, 오늘날에는 생존가능배아viable embryos 내에서 인간유전체를 만드는 일이 훨씬 쉬워졌다. 다시 말해, 미래에는 특정 유전 특질을 지니거나 특정 질병에 저항력이 있도록 설계된 아기가 태어날 가능성이 있다는 뜻이다. 물론 이런 기술이 가져올 기회와 도전에 대한 논의가 진행 중이다. 2015년 12월 미국국립과학원 National Academy of Sciences of the US과 미국의학한림원National Academy of Medicine of the US, 중국과학원Chinese Academy of Sciences과 영국왕립학회Royal Society of the UK가 모여 국제인간유전자편집정상회의International Summit on Human Gene Editing를 개최했다. 이러한 심사숙고에도 불구하고, 우리에게 성큼 다가온 최신 유전자 기술의 현실과 그에 따른 결과를 마주할 준비가 아직 충분히 되지 않았다. 유전자 기술이 야기할 중대한 사회적, 의학적, 윤리적, 심리적 난제들을 풀어가야 하고, 그게 어렵다면 적어도 제대로 대처할 수 있어야 한다.

새로운 발견의 역학 The dynamics of discovery

혁신은 복잡한 사회적 과정으로, 그 어떠한 혁신도 당연하게 생각되어서는 안 된다. 앞에서 세상을 바꿀 힘을 가진 폭넓은 기술의 진보에 대해 강조했지만, 우리 모두는 이러한 진보가 계속해서 이뤄지고 그 과정에서 최상의 결과가 나올 수 있도록 주의를 기울여야 한다.

학문 기관은 흔히 진보적 발상을 추구하는 곳으로 알려져 있다. 그러나 최근 밝혀진 바로는, 정작 대학교에서는 직업적 인센티브career incentives(금전적인 인센티브뿐 아니라 그 직업이 주는 성취감 등 여러 종류의 인센티브를 포괄-옮긴이 주)와 연구비 확보 문제로 과감하고 혁신적인 프로그램보다 점진적이고 보수적인 연구를 더욱 선호하는 것으로 드러났다.[12]

학계 내 보수성을 해결하기 위한 방법 중 하나는 상업적 형태의 연구를 장려하는 것이다. 하지만 이 방법 역시 문제점이 드러났다. 2015년 우버테크놀로지 주식회사는 카네기 멜론 대학교Carnegie Mellon University의 로봇공학 연구자와 과학자 40명을 고용했다. 이들은 대학교 연구소에서 상당히 중요한 비중을 차지하는 인적 자원이었다. 그 결과, 카네기 멜론 대학의 로봇공학 연구 역량은 상당한 타격을 받았

고, 이는 카네기 멜론 대학과 미 국방부 및 다른 기관들 사이의 계약을 뒤흔드는 계기가 되었다.[13]

학계와 재계 두 분야 모두에 획기적인 기초 연구와 혁신적인 기술을 적용하기 위해 정부는 야심찬 연구 프로그램의 기금을 조금 더 공격적으로 할당해야 한다. 또한 모두가 수혜를 누릴 수 있도록 지식과 인적자본을 구축하기 위해서는 공공 연구기관과 민간 연구기관의 협력이 반드시 전제되어야 한다.

2025 티핑 포인트(Tipping Point)

the fourth industrial revolution

　일반적인 용어로 메가트렌드를 논의하면 다소 추상적으로 느껴진다. 그러나 사실 제4차 산업혁명의 메가트렌드는 조금 더 구체적인 형태이며, 실용적인 적용과 발전 문제로 이어진다.

　2015년 9월 출간된 《세계경제포럼보고서》는 과학기술이 이끌어낸 변화가 주류사회를 강타해 미래의 디지털 초연결사회hyper-connected society를 구축하는 21가지 티핑 포인트tipping point를 밝히고 있다.[14] 모두 향후 10년 안에 발생할 일들로, 제4차 산업혁명으로 촉발된 변화를 구체적으로 짚었다. 이는 세계경제포럼 내 '소프트웨어와 사회의 미래the Future of Software and Society'에 관한 글로벌어젠다카운슬에서 실시한 조사를 바탕으로 작성되었으며, 이 조사에는 800명이 넘는 정보통신기술 분야의 경영진과 전문가가 참여했다.

[표1]은 2025년까지 일어날 티핑 포인트로, 해당 항목을 꼽은 설문 응답자의 비율을 표시했다.[15] 각각의 티핑 포인트와 그에 따른 긍정적, 부정적 영향에 대한 자세한 내용은 '2부'에 나와 있다. 설문조사 원안에는 없었던 디자이너와 신경기술 역시 설문에는 포함하였으나, [표1]에는 기재하지 않았다.

⊙ 표1. 2025년에 발생할 티핑 포인트 (단위 : %)

인구의 10%가 인터넷에 연결된 의류를 입는다.	91.2
인구의 90%가 (광고료로 운영되는) 무한 용량의 무료 저장소를 보유한다.	91.0
1조 개의 센서가 인터넷에 연결된다.	89.2
미국 최초의 로봇 약사가 등장한다.	86.5
10%의 인구가 인터넷이 연결된 안경을 쓴다.	85.5
인구의 80%가 인터넷상 디지털 정체성을 갖게 된다.	84.4
3D 프린터로 제작한 자동차가 최초로 생산된다.	84.1
인구조사를 위해 인구 센서스 대신 빅 데이터를 활용하는 최초의 정부가 등장한다.	82.9
상업화된 최초의 (인체) 삽입형 모바일폰이 등장한다.	81.7
소비자 제품 가운데 5%는 3D 프린터로 제작된다.	81.1
인구의 90%가 스마트폰을 사용한다.	80.7
인구의 90%가 언제 어디서나 인터넷 접속이 가능하다.	78.8
미국 도로를 달리는 차들 가운데 10%가 자율주행자동차다.	78.2
3D 프린터로 제작된 간이 최초로 이식된다.	76.4
인공지능이 기업 감사의 30%를 수행한다.	75.4
블록체인을 통해 세금을 징수하는 최초의 정부가 등장한다.	73.1
가정용 기기에 50% 이상의 인터넷 트래픽이 몰리게 된다.	69.9
전 세계적으로 자가용보다 카셰어링을 통한 여행이 더욱 많아진다.	67.2
5만 명 이상이 거주하나 신호등이 하나도 없는 도시가 최초로 등장한다.	63.7
전 세계 GDP의 10%가 블록체인 기술에 저장된다.	57.9
기업의 이사회에 인공지능 기계가 최초로 등장한다.	45.2

출처: 《거대한 변화-기술의 티핑 포인트와 사회적 영향》,
소프트웨어와 사회의 미래에 관한 글로벌어젠다카운슬, 세계경제포럼, 2015년

이 티핑 포인트는 그 자체로 강력한 영향력을 발휘해 머지않은 미래에 실질적인 변화를 가져올 것으로 예상된다. 그리고 그에 대해 어떻게 준비하고 대응해야 하는지를 시사하고 있기 때문에 우리에게 매우 중요한 의미를 지닌다. '챕터 3'에서는 이미 진행 중이거나 곧 다가올 변화를 살펴보고, 국제사회에 어떠한 영향력을 미치는지에 대해 살펴보겠다.

Chapter 3

제4차 산업혁명의
영향력

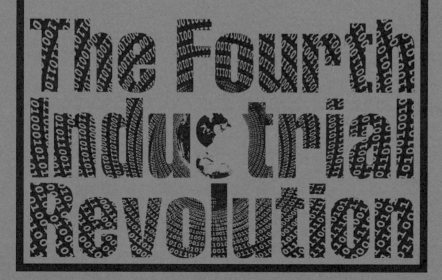

성장 가능성

the fourth industrial revolution

지금 이루어지고 있는 과학기술 혁명은 그 범위가 넓고 깊어, 이 때문에 일어날 경제적, 사회적, 문화적인 변화는 예측하기 어려울 정도다. 그럼에도 이번 챕터에서는 제4차 산업혁명이 경제와 기업(비즈니스), 정부와 국가, 사회 그리고 개인에게 미칠 잠재적 영향력에 대해 살펴보고 분석하도록 하겠다..

이 모든 분야에 미친 가장 큰 영향력은 단 하나의 힘에서 비롯된다. 바로 임파워먼트empowerment(권한 부여)다. 정부와 국민의 관계, 기업과 노동자·투자자·고객의 관계, 강대국과 약소국의 관계, 이 모든 관계가 임파워먼트에서 비롯된다. 따라서 제4차 산업혁명이 기존의 정치적, 경제적, 사회적 모델에 가져올 파괴적 혁신은 결국, 권한을 가진 모든 이들이 스스로가 분배된 권력 시스템의 일부라는 것을 인식하고, 성공을 위해서는 협동적인 상호작용이 필요하다는 사실을 깨닫는 데서 시작한다.

제4차 산업혁명이 세계 경제에 미치는 영향력은 엄청날 것이다. 이는 매우 막대하고 다면적인 특성을 지녔기 때문에, 경제 요소를 서로 떼어 별개로 생각하기는 어렵다. GDP, 투자, 소비, 고용, 무역, 인플레이션 등 생각할 수 있는 모든 거대 거시 변수들이 제4차 산업혁명의 영향력 아래에 있다. 이 가운데 가장 중요하다고 판단하는 '성장(성장의 장기적 결정요인인 생산성 측면을 주로 다루겠다)'과 '고용', 이 두 가지에 집중해 논의하고자 한다.

저성장 시대

제4차 산업혁명이 경제성장에 미칠 영향에 대해서는 경제전문가들 역시 의견이 갈린다. 기술 회의론자들은 디지털 혁명이 할 수 있는 중요한 기여는 이미 모두 이루었고, 생산성에 대한 영향력도 거의 끝났다고 본다. 이와 반대로 기술 낙관론자들은 과학기술과 혁신이 현재 변곡점에 머문 것뿐이고, 곧 생산성 급증과 높은 경제성장을 촉발할 것이라고 주장한다.

양측의 입장을 모두 인정하는 실용적 낙관론자로서, 과학기술이 가져올 잠재적 디플레이션의 영향에 대해 (심지어 '좋은 디플레이션'이라고 불릴 때에도) 잘 인식하고 있다. 그리고 과학기술이 노동보다는 자본을 중시한다는 것도, 임금의 하락을 이끈다는 것도 (그에 따라 소비도 줄어든다는 것 역시) 알고 있다. 그러나 한편으로는, 제4차 산업혁명으로 사람들은 더욱 저렴한 가격에 소비할 수 있게 되고, 이 때문에 보다 더 지속가능하고 책임 있는 소비가 가능해진다고 생각한다.

최근 경제 트렌드와 경제성장에 기여하는 여러 요소들을 참고해 제4차 산업혁명의 잠재적 영향력에 대해 살펴보는 것이 필요하다. 2008년 경제·금융 위기가 발생하기 몇 년 전, 세계 경제는 연간 약 5퍼센트 성장했다. 이런 성장세가 지속되었다면 매 14~15년마다 세계 GDP가 두 배씩 늘고, 수십억의 사람들이 빈곤에서 벗어났을 것이다.

서브 프라임 사태로 촉발된 대침체the Great Recession의 여파 직후, 세계 경제가 위기 이전의 고성장 패턴을 회복할 것이란 기대가 널리 퍼졌다. 그러나 아직까지도 회복하지 못하고 있는 것이 현실이다. 세계 경제는 제2차 세계대전 이후 평균 경제성장률보다 낮은 연 3~3.5퍼센트의 성장률에 고착된 듯하다.

일부 경제학자들은 '센터니얼 슬럼프centennial slump(100년 동안 계속되는 슬럼프)'의 가능성을 제기하며, '구조적 장기침체secular stagnation'에 대해 언급하고 있다. 이는 1930년대 경제대공황 당시 경제학자인 알빈 한센Alvin Hansen이 만든 용어로, 최근 경제학자 래리 서머스Larry Summers와 폴 크루그먼Paul Krugman이 언급하며 다시금 화제가 되고 있다. 구조적 장기침체란, 제로에 가까운 금리에도 불구하고 지속적인 수요 부족이 극복되지 않는 상황을 말한다. 학계에서는 이를 둘러싼 공방이 여전하지만, 구조적 장기침체가 다시 거론되는 것은 남다른 의미가 있다. 만약 사실이라면 세계 GDP는 앞으로 더욱 하락할 수 있다. 세계 GDP 성장률이 2퍼센트로 하락하는 극단적인 상황까지 떠올릴 수 있다. 그렇게 된다면 세계 GDP가 두 배로 증가하는 데 36년이 걸린다는 이야기다.

전 세계에 걸친 저성장의 원인은 자본 분배의 왜곡과 과도한 채무, 인구구조의 변화 등 다양하다. 이 가운데 과학기술 발전과 가장 관련이 깊은 고령화와 생산성에 대해 살펴보자.

고령화가 야기하는 문제

현재 72억 명인 세계 인구가 2030년에는 80억 명, 2050년에는 90억 명으로 증가할 추세다. 인구의 증가는 총수요의 증가로 이어지기 마련이다. 그러나 우리가 함께 고려할 것은 이와 함께 형성된 강력한 인구구조 트렌드다. 바로 '고령화'다. 고령화는 주로 서양의 부유한 국가에 영향을 미친다는 것이 일반적인 통념이다. 그러나 더 이상 그렇지 않다. 인구감소가 시작된 유럽뿐 아니라 남미와 카리브 해 대부분의 국가, 중국과 인도 남부를 포함한 아시아의 많은 국가 및 레바논, 모로코, 이란을 포함한 중동과 북아프리카 지역까지 세계 곳곳에서 출생률이 인구대체율을 넘어서지 못하고 있는 실정이다.

정년을 급격히 높여 노년층의 인구가 계속해서 노동력을 대체할 수 있는 것이 아니라면(경제적 이득 증대를 위한 경제적 필요성 관점에서), 사회 노령화에 따라 생산가능인구가 줄어드는 동시에 부양해야 할 노령인구는 늘어나게 되어, 고령화는 경제적으로 큰 문제가 되고 있다. 인구 노령화가 계속되고 젊은이의 수가 줄어들면서 주택과 가구, 자동차와 가전제품 같은 고가 재화의 소비가 줄어들게 된다. 또한 중년층의 경우 새로운 사업에 뛰어들기보다는 안락한 은퇴 생활에 필요한 자산을 지키려는 경향이 있기 때문에 사업적 위험성을 감수하려들지 않는다. 사람들이 은퇴하는 시기와 그동안 모아온 저축을 소비하는 시기가 맞물리면서 저축률과 투자율이 전체적으로 하락하게 된다.[16]

사회가 고령화에 적응하기 시작하면 이러한 추세도 물론 바뀔 수 있겠지만, 일반적으로는 과학기술 혁명이 생산성 증대에 기여하지 않고서는 고령화사회의 성장은 느려질 수밖에 없다. 여기서 과학기술이 생산성을 높인다는 의미는 열심히 일한다는 뜻이 아니라, 더욱 스마트하게 일하는 능력을 뜻한다.

제4차 산업혁명으로 우리는 더욱 건강하고 오래, 보다 더 능동적인 삶을 살 수 있게 된다. 선진국에서 태어나는 아이 4분의 1 이상의 기대수명이 100세인 시대에서, 우리는 이제 생산가능인구와 은퇴, 개인의 인생 설계와 같은 이슈에 대해 다시 한 번 생각해봐야 한다. 현재 많은 국가가 이와 관련한 논의를 진행하는 데 어려움을 보인다는 것은, 우리가 아직 변화에 대해 충분히 인식하고 사전에 준비하려는 태도를 갖추지 못했다는 반증이다.

제4차 산업혁명에서 생산성의 의미
지난 10년간, 전 세계 생산성(노동생산성 또는 총요소생산성TFP, total-factor productivity으로 측정된)은 기술의 기하급수적 진보와 혁신에 대한 투자가 폭발적으로 증가했음도 불구하고 부진한 상태다.[17] 과학기술 혁신에도 불구하고 생산성 증대로 연결되지 않는 생산성의 역설 productivity paradox은 다시금 경제의 커다란 수수께끼로 떠오르고 있다. 이런 상황은 대침체가 시작되기 전부터 조짐을 보였으나 아직도 만족할 만한 설명을 찾을 수 없다.

미국의 경우 1947~1983년 사이 노동생산성 증가율이 평균 2.8퍼센트였고, 2000~2007년까지는 2.6퍼센트였던 것에 반해 2007~2014년 사이에는 고작 1.3퍼센트다.[18] 원인은 총요소생산성TFP 하락에 있다. 총요소생산성은 생산성 분석 지표로, 기술발전과 혁신이 생산성에 미치는 기여도와 밀접하게 연관되어 있다. 미국 노동통계청US Bureau of Labour Statistics에 따르면 2007~2014년 사이 총요소생산성 증가율은 겨우 0.5퍼센트에 머물렀다. 이는 1995년에서 2007년 사이 연간 총요소생산성 증가율이 1.4퍼센트였던 것에 비하면 굉장히 낮은 수치다.[19] 지난 5년간 실질금리가 제로에 가까운 상태임에도 미국 내 50대 기업이 모은 현금 자산은 1조 달러가 넘었고, 이런 상황에서 측정된 생산성 지수가 하락했다는 것은 분명 우려할 만한 일이다.[20]

생산성은 장기적인 면에서 경제성장에 가장 중요한 요인이자 국민의 생활 수준을 높이는 데 중요한 지표다. 따라서 제4차 산업혁명을 통해 생산성에 변화가 없다면 우리의 경제성장과 생활 수준이 모두 하락할 것이라고 해석할 수밖에 없다. 그렇다면, 생산성 하락을 나타내는 지표와 과학기술 혁신으로 생산성을 높일 수 있다는 기대감 간의 간극을 좁힐 수 있는 방법은 무엇일까?

가장 중요한 문제는 인풋input과 아웃풋output을 측정하여 생산성을 파악하는 방법을 바꾸어야 한다는 것이다. 제4차 산업혁명에서 창출되는 혁신적인 재화와 서비스는 놀라울 정도로 높은 수준의 기능성과 품질을 갖추었지만, 우리가 기존에 생산성 지표를 측정하던 시장market과는 근본적으로 다른 시장을 통해 유통되고 있다. 새로운 형태의 재화와 서비스는 비경합적non-rival 특성을 지니고 한계비용이 없으며 디지털 플랫폼을 통해 상당한 경쟁력을 갖춘 시장으로 유통되는데, 이 모든 요소 때문에 가격이 더욱 낮게 책정된다. 이런 조건하에 소비자잉여consumer surplus가 총매출이나 수익 증대에 반영되지 못해, 기존의 통계 방법으로는 실제 가치 상승이 정확히 파악되지 않을 수도 있다.

구글의 수석 경제학자인 할 베리안Hal Varian은 모바일 앱을 이용해 택시를 부르거나 온디맨드 경제 논리를 통해 차량 대여 서비스가 가능해지면서 발생하는 효율의 증대와 같이, 제4차 산업혁명을 통해 발생하는 다양한 사례를 전했다. 이와 비슷하게, 효율성이 높아지고 그에 따른 생산성 또한 증가하는 서비스 활용 사례가 많다. 또한 이러한 서비스는 실질적으로 비용이 무료나 다름없기에 가정과 일터에서 환산할 수 없을 정도의 가치를 제공한다. 때문에 이러한 서비스를 통해 제공된 가치와 통계 수치로서의 생산성 지수 사이에 격차가 생기게 된다. 다르게 해석하자면 경제지표가 가리키는 것보다 실제로 우리는 더욱 효율적으로 생산하고 소비한다고 이해할 수 있다.[21]

또 다른 시각은, 제3차 산업혁명으로 인한 생산성 증대가 점점 줄어들고 있는 가운데, 세계는 아직 제4차 산업혁명의 핵심인 혁신적 기술로 창출된 생산성의 폭등을 경험하지 못하고 있는 것뿐이라는 의견이다.

실용적 낙관론자로서 나는, 우리가 제4차 산업혁명이 전 세계에 미칠 긍정적인 영향력을 이제 막 경험하기 시작했다고 생각한다. 이러한 긍정적 시각은 다음의 세 가지 이유에 근거한다.

첫째, 제4차 산업혁명은 20억 인구의 충족되지 못한 니즈needs가 세계 경제에 반영되는 기회를 제공하고, 전 세계의 모든 사람과 커뮤니티에 권한을 부여하고 서로 연결해 기존 재화와 서비스에 대한 추가적인 수요를 유도한다.

둘째, 제4차 산업혁명 덕분에 우리는 부정적 외부효과에 대해 제대로 파악하고 해결할 수 있고, 이 과정에서 잠재적 경제성장도 촉진시킬 수 있다. 부정적 외부효과의 대표 사안인 탄소 배출을 예로 들어보자. 얼마 전만 해도 정부의 보조금 없이는 녹색투자가 제대로 이루어지지 않았다. 그러나 이제는 상황이 뒤바뀌었다. 재생가능에너지 분야의 빠른 기술 성장에 따라 연비와 에너지 저장기술 분야의 투자가 높은 수익성을 보이며 GDP의 상승까지 가능하게 할 뿐 아니라 지금 세계적으로 가장 심각한 문제인 기후변화를 완화하는 데도 도움을 주고 있다.

셋째, 곧 뒤에서 다룰 내용이지만, 내가 만났던 비즈니스, 정부, 시민사회의 리더들은 하나같이 자신이 몸담고 있는 조직을 디지털 기술의 효율성을 완전히 실현할 수 있는 조직으로 개편하기 위해 노력하고 있다. 우리는 아직 제4차 산업혁명의 시작점에 서 있고, 우리가 제4차 산업혁명의 가치를 완전히 이해하기 위해서는 완전히 새로워진 경제적, 조직적 구조가 필요하다.

단언컨대 제4차 산업혁명 경제 속 경쟁력 규칙competitiveness rules이 실제로 이전과 다를 것이다. 경쟁력을 갖추기 위해서는 기업과 국가 모두 반드시 모든 면에서 혁신에 앞장서야 한다. 다시 말해 가격을 인하해 경쟁력을 갖추려는 방식은 이제 비효율적이고, 대신 재화와 서비스를 더욱 혁신적인 방법으로 제공해야만 경쟁력을 확보할 수 있을 것이다. 실제로 기존 기업들은 다른 산업 분야와 국가의 파괴적 혁신가와 이노베이터의 부상浮上 때문에 굉장한 압박을 받고 있다. 현재의 흐름에 따라 혁신 생태계를 구축하려는 노력이 없는 국가 역시 마찬가지 상황을 겪게 될 것이다.

정리하자면, 구조적 요소(과중한 부채와 고령화사회)와 시스템적 요소(새로운 플랫폼과 온디맨드 경제의 등장, 한계비용 감소에 따른 영향력 증대 등)의 결합으로 그간의 경제 논리를 재정립해야 할 때가 왔다. 제4차 산업혁명은 경제적 성장을 고취시키고, 우리 모두에게 닥친 일부 세계적 문제를 완화할 수 있을 것이다. 한편으로는 제4차 산업혁명이 가져올 부정적 영향, 특히 불평등, 고용, 노동시장에 관련된 문제들을 제대로 인식하고 다룰 필요가 있다.

경제 Economy

노동력의 위기

the fourth industrial revolution

기술이 경제성장에 미칠 긍정적 영향력에도 불구하고, 그 때문에 노동시장이 단기적이나마 받게 될 부정적 효과에 대해 반드시 살펴봐야 한다. 과학기술이 일자리에 영향을 미칠 것이라는 두려움은 항상 존재했다. 1931년 경제학자인 존 메이나드 케인스John Maynard Keynes 는 광범위한 기술적 실업(기술 진보 때문에 노동력에 대한 수요 감소로 생기는 실업-옮긴이 주)을 두고, "인간이 노동의 새로운 용도를 찾아내는 것보다 노동을 절약하는 법을 더 빨리 찾아내기 때문에 발생한다"[22]라고 경고했다. 지금까지 이 주장은 틀린 것으로 여겨졌으나, 만약 이번에는 그 생각이 옳았다고 증명된다면 어떻게 될까? 지난 몇년간 눈에 띌 정도로 컴퓨터가 회계장부 담당자, 캐시어, 전화 오퍼레이터의 일을 대신하면서 이런 논란이 재점화되고 있다.

새로운 기술혁명이 기존의 산업혁명에 비해 훨씬 더 큰 격동을 불러일으키는 이유는 서문에 언급했던 요소들 때문이다. 바로 속도(모든 것이 과거에 비해 훨씬 빠른 속도로 일어나고 있다), 범위와 깊이(수많은 분야에서 근본적 변화가 동시다발적으로 발생하고 있다), 그리고 전체 시스템의 완전한 개편이다.

이런 요소들을 고려해보면 한 가지는 확실해진다. 새로운 기술은 산업 분야와 직종의 구분 없이 모든 노동의 본질을 완전히 뒤바꿔놓는다는 점이다. 어떤 자동화 기술이 노동을 대신하게 될지 그 범위를 알 수 없는 데서 근본적 불확실성이 생겨난다. 이런 현실에 당면하기까지 얼마나 걸릴까, 또 얼마나 발전하게 될 것인가?

상황을 더 잘 이해하기 위해서는 과학기술이 고용에 미치는 두 가지 상충되는 영향에 대해 먼저 알아야 한다. 첫째로, 기술이 빚어낸 파괴 효과와 자동화로 인해 자본이 노동을 대체하는 현상이 발생하고, 이 때문에 노동자들은 일자리를 잃게 되거나 자신의 능력을 다른 곳에 재배치하게 된다. 둘째로 파괴 효과는 새로운 재화와 서비스에 대한 수요가 증가함에 따라 새로운 직종과 사업, 산업 분야가 창출되는 자본화 효과를 동반한다.

인간은 놀라운 수준의 적응력과 독창성을 갖고 있다. 그러나 핵심은 자본화 효과가 파괴 효과를 앞지르는 타이밍과 범위, 그리고 이 두 효과의 치환이 얼마나 빨리 진행될 것인가이다.

과학기술 혁신이 노동시장에 끼치는 영향을 두고 두 가지 의견이

상충한다. 해피엔딩을 확신하는 쪽에서는 기술 발달로 일자리를 잃은 노동자는 새로운 직업을 찾게 되고, 기술은 새로운 번영의 시대를 열 것이라고 말한다. 또 다른 의견은 기술적 실업이 대대적으로 발생하여 점차 사회적, 정치적 아마겟돈이 일어나게 될 것이라고 보고 있다. 역사를 들여다보면 결과는 어느 한쪽에도 치우치지 않은, 이 두 가지 관점의 중간에서 일어났다. 중요한 문제는 '더욱 긍정적인 결과를 이끌어내고 변화로 인해 곤란에 빠진 사람들을 돕기 위해서 어떻게 해야 하는가?'다.

기술혁신으로 몇몇 일자리가 사라졌던 것은 사실이고, 이 때문에 새로운 분야의 직업이 발생했던 것 역시 사실이다. 농업을 예로 들어보자. 미국의 경우 19세기 초 노동력의 90퍼센트가 농업에 종사했으나, 현재 농업 종사 인구는 2퍼센트 미만이다. 농업인구가 충격적일 정도로 급속한 감소를 보였으나, 이 변화는 사회적 파괴와 고질적 실업 사태를 최소화하며 비교적 매끄럽게 일어났다.

앱 경제 분야는 새로운 직업 생태계의 탄생을 보여주는 좋은 예다. 이 새로운 직종은 2008년, 애플의 창립자인 스티브 잡스Steve Jobs가 외부 개발자에게 아이폰 애플리케이션 개발을 맡기며 등장했다. 2015년 중순에는 세계 앱 경제가 1,000억 달러 이상의 수익을 낼 것으로 기대되었고, 이는 100년 이상 존재해온 영화산업의 수익을 넘어서는 수준이다.

기술 낙관론자는 과거에 비춰 왜 이번에는 상황이 나빠질 거라고 생각하는지를 묻는다. 그들은 기술혁신이 파괴적일 수 있지만 결국 생산성을 높이고 부를 창출하여 재화와 서비스의 수요를 증대시켜 이를 충족시키기 위한 새로운 일자리를 창출한다고 믿는다. 인간의 욕구와 욕망은 끝이 없으므로 그들의 수요를 공급하는 일 역시 한계가 없다는 것이 낙관론자들이 주장하는 것의 핵심이다. 일반적인 불황과 가끔 닥치는 불경기를 제외하고는 항상 사람들이 일할 곳은 있었다.

그렇다면 이를 뒷받침할 만한 근거는 무엇이며, 우리에게 닥칠 미래에 대해 어떤 시각을 제시하는가? 앞서 드러난 징후들이 가리키는 바는 앞으로 수십 년 내에 다양한 산업 분야와 직군에서 기술혁신이 노동을 대신하게 될 것이라는 점이다.

노동의 대체

이미 여러 직종에서 기계적인 단순 반복 업무나 정밀한 육체노동은 자동화되었다. 연산력이 눈부시게 성장해감에 따라 곧 다른 여러 업무도 자동화될 것으로 보인다. 우리가 예상하는 것보다 빠른 시일 안에 변호사, 재무분석가, 의사, 기자, 회계사, 보험판매자나 사서와 같은 다양한 직업군 역시 부분적으로 혹은 전면적으로 자동화가 이루어질 것이다.

지금까지 드러난 사실은 이렇다. 제4차 산업혁명으로 창출되는 직업은 과거의 산업혁명으로 인해 발생한 직업의 수보다 분명히 적다. 기술과 고용에 관한 옥스퍼드 마틴 프로그램Oxford Martin Programme on Technology and Employment의 분석에 따르면, 이전 세기에는 존재하지 않았던 산업 분야에 고용된 미국의 노동인구는 고작 0.5퍼센트다. 이는 새로운 산업 분야가 창출한 일자리로 흘러간 노동력이 1980년대에는 8퍼센트, 1990년대에는 4.5퍼센트였던 것에 비해 낮은 수치다. 이는 최근 진행된 미국 경제총조사US Economic Census에서도 사실로 확인되며, 기술혁신과 실업 사이에 흥미로운 관계가 성립됨을 보여준다. 정보기술 및 여러 파괴적 기술의 혁신으로 생산성이 상승된 이유가 노동력을 많이 필요로 하는 재화의 등장 때문이 아니라, 기존의 노동자를 대체하는 데서 비롯된다는 사실을 확인할 수 있기 때문이다.

옥스퍼드 마틴 스쿨Oxford Martin School 연구원인 경제학자 카를 베네딕트 프레이Carl Benedikt Frey와 기계학습전문가인 마이클 오스본Michael Osborne은 자동화가 될 확률이 높은 702가지의 직업에 순위를 매겨, 과학기술 혁신이 실업에 미칠 잠재적 영향력을 수치화했다. 자동화의 위험에 가장 민감하지 않은 직종('0'은 자동화 저위험 직군이다)과 자동화의 위험에 가장 민감한 직종('1'은 컴퓨터와 같은 기술 때문에 자동화로 대체될 위험이 높은 직군이다)[23]을 수치로 표현했다. 다음의 [표2]에서는 자동화될 확률이 가장 높은 직업과 그렇지 않은 직업을 소개한다.

이 연구는 아마도 향후 10년에서 20년 사이에 미국 내 모든 직업의 약 47퍼센트가 자동화로 위험에 처할 수 있음을 보여준다. 이는 과거의 산업혁명에 비해 훨씬 넓은 범위의 일자리 붕괴 현상이 일어나고, 더욱 빠른 속도로 노동시장이 변화하고 있음을 의미한다. 더욱이 노동시장 내 양극화 현상은 심화될 것으로 보인다. 고소득 전문직과 창의성을 요하는 직군, 저소득 노무직에서는 고용이 늘어날 전망이지만, 중간소득층의 단순 반복 업무 일자리는 크게 줄어들 것으로 보인다.

⊙ 표2. 자동화에 따른 고위험 직업군과 저위험 직업군

고위험 직업군

가능성	직업
0.99	텔레마케터
0.99	세무대리인
0.98	보험조정인
0.98	스포츠 심판
0.98	법률비서
0.97	레스토랑, 커피숍의 종업원
0.97	부동산업자(부동산중개업자)
0.97	외국인노동자 농장 계약자(주(州)의 승인을 받아 외국인 체류자들이 농장에서 일할 수 있도록 계약을 진행하는 사람—옮긴이 주)
0.96	비서직(법률 · 의학 · 경영 임원의 비서직 제외)
0.64	배달직

저위험 직업군

가능성	직업
0.0031	정신 건강 및 약물남용치료 사회복지사
0.004	안무가
0.0042	내과 · 외과 의사
0.0043	심리학자
0.0055	HR 매니저
0.0065	컴퓨터 시스템 분석가
0.0077	인류학자, 고고학자
0.01	선박기관사, 조선기사
0.013	세일즈매니저
0.015	전문 경영인

출처: 카를 베네딕트 프레이 · 마이클 오스본, 옥스퍼드 대학교(University of Oxford), 2013년

직업 대체의 원인이 알고리즘과 로봇, 그리고 다른 형태의 비인적 자산non-human assets의 능력 증대 때문만은 아니라는 점이 흥미롭다. 최근 몇 년 동안 대다수의 기업은 '디지털 워크'와 같은 오프쇼어링off-shoring(국내 기업이 경비를 절감하기 위해 생산, 용역, 일자리 등을 해외로 이전하는 현상–옮긴이 주)과 아웃소싱(아마존이 제공한 크라우드 소싱 형식의 인터넷 시장인 '매커니컬 터크' 혹은 'MTurk'가 그 예다)을 용이하게 진행하기 위해 업무를 단순하고 명확하게 정립해왔다. 마이클 오스본은 기업의 이런 노력이 바로 업무 자동화를 가능하게 한 주요 원인이라고 지적했다. 업무의 단순화로 알고리즘이 인간을 대체하여 업무를 수행하기 더욱 적합해졌다. 이와는 별개로, 명확하게 정의된 업무well-defined tasks 때문에 모니터링이 쉬워졌고 업무에 대한 데이터의 수준이 높아져, 업무 수행을 위한 자동화 알고리즘 설계가 더욱 용이해졌다.

고용에 미치는 기술의 영향력과 직업의 미래라는 양극화된 시각으로 자동화와 노동 대체 현상을 이해해서는 안 된다. 프레이와 오스본의 조사가 보여준 것과 같이 제4차 산업혁명이 세계적으로 노동시장과 업무 현장에 변화를 가져온다는 사실은 피할 수 없는 일이다. 하지만 이 사태를 인간 대 기계의 딜레마로 해석해서는 안 된다. 대부분의 경우, 변화를 이끄는 물리학, 디지털, 생물학 기술의 융합은 인간의 노동력과 인지능력을 고취시켰다. 리더는 갈수록 똑똑해져가는 지능화 기계(컴퓨터)와 함께 협력해 나아갈 수 있도록 노동력을 대비시키고 교육 모델을 개발하는 데 주력해야 한다.

기술에 대한 영향력

가까운 미래에 실현될 자동화 때문에 대체될 위험이 적은 직군은 사회적, 창의적 능력을 요하는 직군이 될 것이다. 세부적으로 보자면 불확실한 상황 속에서 의사결정을 해야 하는 일이나 창의적 아이디어를 개발해야 하는 일이다.

그러나 이런 직업도 더는 안전하지 않을 수 있다. 가장 창의적인 직업으로 꼽히는 글쓰기와 자동화 내러티브narrative 생성 프로그램의 출현에 대해 생각해보라. 이 프로그램은 정교한 알고리즘을 통해 해당 독자가 선호하는 형식의 내러티브를 작성할 수 있다. 최근《뉴욕타임즈The New York Times》에서는 두 개의 유사한 글을 두고 퀴즈를 냈는데, 로봇이 쓴 글이 사람의 글과 매우 유사하여, 어떤 글이 사람이 쓴 글이고, 어떤 글이 로봇이 생산한 글인지 구분하기가 거의 불가능했다. 자동화 내러티브 생성 프로그램 기업인 내러티브 사이언스Narrative Science의 공동 창립자 크리스티안 해몬드Kristian Hammond는 기술이 빠른 속도로 발전해 2020년대 중반이 되면 90퍼센트의 뉴스는 알고리즘을 통해 작성되고, 그중 대부분은 인간의 개입이 전혀 필요 없을 것이라고 예측했다(물론 알고리즘 설계에는 인간이 반드시 필요하다).[24]

급변하는 근로 환경 속에서 미래의 고용 트렌드를 예측하고 새로운 환경에 적응할 지식과 기술을 갖추는 일은 패러다임 내 이해관계자들에게 매우 중요해졌다. 고용 트렌드는 산업 분야와 지리적 요소에 따라 달라지기 때문에 제4차 산업혁명의 영향을 받게 될 분야와 각 국가의 특성을 파악하는 일이 필요하다.

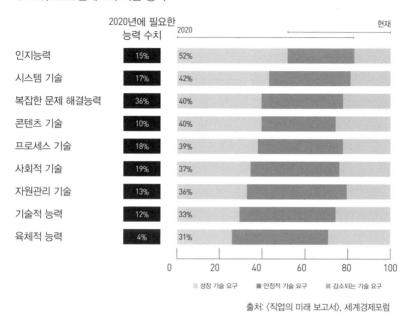

⊙ 표3. 2020년에 요구되는 능력

	2020년에 필요한 능력 수치	2020		현재
인지능력	15%	52%		
시스템 기술	17%	42%		
복잡한 문제 해결능력	36%	40%		
콘텐츠 기술	10%	40%		
프로세스 기술	18%	39%		
사회적 기술	19%	37%		
자원관리 기술	13%	36%		
기술적 능력	12%	33%		
육체적 능력	4%	31%		

0   20   40   60   80   100

■ 성장 기술 요구　■ 안정적 기술 요구　■ 감소되는 기술 요구

출처: 〈직업의 미래 보고서〉, 세계경제포럼

　세계경제포럼의 〈직업의 미래 보고서Future of Jobs Report〉를 통해 우리는 최고인사개발책임자CHO, chief human resources officers에게 15개국 10개의 산업 분야에서 노동인력이 가장 많은 분야를 선별해 2020년 고용 상황과 직업, 능력에 대해 예측하도록 했다. [표3]에서 확인할 수 있듯, 설문 응답자들은 2020년에는 복잡한 문제 해결능력, 사회적 기술과 시스템 기술이 육체적 능력이나 콘텐츠 기술보다 더욱 필요하다고 응답했다. 보고서는 앞으로의 5년이 변화에 가장 중요한 시기라고 예측했다. 전반적인 고용 전망은 큰 변화가 없어 보이지만, 대다수의 직업에서 산업 분야와 능력에 따른 변화가 크게 감지되었다. 대다수의

직종에서는 임금이 인상되고 삶과 일의 균형도 나아질 것으로 보이나, 설문 대상 속 산업 분야의 절반이 직업 안정성에서 위험도를 보였다. 또한 남성과 여성이 서로 다른 영향을 받으며 성性에 따른 격차가 더욱 커질 것으로 예상되었다([박스 A] '성 격차와 제4차 산업혁명', pp.78~80 참고).

미래에는 비단 제4차 산업혁명뿐 아니라 인구통계학적, 지정학적 변화와 같은 비기술적 요인과 새로운 사회적, 문화적 규범에 따른 새로운 포지션과 직업이 등장할 것이다. 새로운 직업군에 대해 아직은 예상하기 어렵지만 자본력보다는 능력이 중요한 생산요소로 대두될 것이라 예측한다. 이런 이유로 자본력 때문이 아닌, 전문 능력을 갖춘 노동력의 희소성 때문에 혁신과 경쟁력, 성장이 제한될 확률이 높다.

이에 따라 '저직능·저급여'와 '고직능·고급여'에 따른 노동시장 분리는 심화될 것이다. 실리콘밸리 소프트웨어 기업가이자 작가인 마틴 포드Martin Ford[25]의 예측대로 우리가 만약 제4차 산업혁명을 제대로 대비하지 않는다면, 직무기술 피라미드의 기반이 공동화될 것이며 이에 따른 불평등과 사회적 긴장감이 심화될 것이다.

제4차 산업혁명에서 의미하는 '고직능'이 무엇인지 다시 한 번 생각해봐야 한다. 기술인력이란 전통적으로 고급 전문교육과 전문직업 또는 전문분야에서 활약할 수 있는 능력을 갖춘 인력을 뜻한다. 그러나 제4차 산업혁명에서는 기술혁신의 빠른 진보 때문에 노동자가 지속적으로 적응해나가며 새로운 능력을 배우고 다양한 문맥 안에서 접근할 수 있는 능력을 구축하는 것이 더욱 중요하다.

최고 인사개발책임자 가운데 제4차 산업혁명으로 다가올 인력 변화에 따른 조직 내 전략이 마련되었다고 응답한 비율이 50퍼센트에 못 미친다는 사실이 세계경제포럼의 〈직업의 미래〉 연구를 통해 드러났다. 결단력 있는 전략의 접근법을 가로막는 요인으로는 파괴적 혁신의 결과에 대한 조직의 이해 부족, 노동력 전략과 기업의 혁신 전략 간 연대성 부족과 자원의 한계, 단기적 수익 압박으로 밝혀졌다. 이러한 원인 때문에, 다가올 변화의 규모와 기업의 부족한 대처 방법 사이에 간극이 발생하게 된다. 조직은 원치 않는 사회적 결과를 최소화하기 위해 기업이 필요로 하는 인재에 걸맞은 새로운 마음가짐을 가져야 한다.

개발도상국에 미칠 영향

제4차 산업혁명이 개발도상국에 어떠한 의미로 다가갈지 살펴보는 일도 중요하다. 과거 산업혁명의 영향력이 아직 미치지 못한 지역이 많고, 이런 국가의 시민들은 전력 공급, 깨끗한 물, 위생에 대한 접근성이 낮으며 선진국에서 당연하게 생각하는 자본설비가 충족되지 않은 경우가 많다. 이러한 현실에도 불구하고 제4차 산업혁명은 개발도상국에도 반드시 영향을 미치게 될 것이다.

제4차 산업혁명이 미칠 영향은 아직 구체적으로 드러나지 않았다. 최근 몇십 년간, 국가 내에서 발생하는 불평등은 심각해졌지만, 전 세계적으로 국가 간 격차는 눈에 띄게 좁혀졌다. 지금껏 소득, 기술, 사회기반시설, 재정 등 다른 여러 분야에 걸쳐 좁혀졌던 차이가 제4차 산업혁명으로 인해 다시금 벌어지게 될까? 아니면 기술혁신과 급진적 변화가 오히려 발전을 이끌고 격차를 좁히는 데 더욱 힘을 실어주게 될까?

선진국이 이미 닥친 문제에 골머리를 썩고 있을지라도 위에 언급한 질문들은 반드시 주의 깊게 생각해봐야 한다. 전 세계 국가들이 뒤처지지 않도록 하는 일은 우리의 도덕적 의무가 아니다. 오히려 인구 이동과 같은 지정학적 문제나 안보 이슈에 따른 국제적 불안정을 감소시킬 수 있는 중요한 목표에 가깝다.

제4차 산업혁명으로 저렴한 노동력이 더는 기업의 경쟁력에 도움이 되지 않는다는 판단하에 전 세계 제조업이 선진국으로 회귀하는 '리쇼어링re-shoring' 현상이 발생한다면 저소득 국가는 심각한 문제를 겪게 될 것이다. 비용 절감을 내세워 세계 경제의 제조업 분야를 이끌었던 저소득 국가들은 이 과정에서 자본을 축적하고 선진 기술을 배우며 소득을 올리는 전형적인 방법으로 발전해왔다. 그러나 리쇼어링으로 더 이상 이런 방법이 통하지 않게 되면 산업화 모델과 전략을 새로 짜야 할 것이다. 개발도상국이 제4차 산업혁명을 기회로 활용할 수 있을지, 만약 그렇다면 어떠한 방식으로 전개될지는 전 세계적으로 중요한 문제다. 이에 따른 전략을 발전시키고 적용하기 위해 더 많은 조사와 연구가 반드시 필요하다.

제4차 산업혁명의 위험성은 바로 이 산업혁명이 국가적으로 혹은 국가 내에서 승자가 모든 것을 가지는 방식으로 전개되는 것이다. 이렇게 되면 사회적 긴장감과 충돌은 고조되고 화합력은 줄어들며 정세가 불안해진다. 특히나 요즘같이 사람들이 국가마다 다른 생활 수준에 따른 사회적 불평등과 격차에 대해 쉽게 접하고 민감하게 반응하는 시대에서는 더욱 그렇다. 공공 기관과 민간 기관의 리더들이 국민의 삶이 향상되는 데 신뢰할 만한 전략을 국민에게 약속해주지 않는다면 사회불안, 대규모 이주, 그리고 폭력적 극단주의가 심화되어 국가의 발전을 저해하게 될 것이다. 한 개인이 본인과 가족을 보필하기 위해 가치 있는 일을 하고 있다는 믿음 속에서 안전함을 느끼는 것은 매우 중요한 요소인데, 만약 노동시장에 충분한 수요가 없거나 개인의 능력이 수요에 걸맞지 않는다면 어떤 일이 발생하겠는가?

성性 격차와 제4차 산업혁명

세계경제포럼의 '제10회 세계 성 격차 리포트 2015Global Gender Gap Report 2015'에서는 두 가지 우려되는 상황을 지적했다. 첫째로, 현재의 진보 속도로 보면 전 세계적으로 남녀평등이 실현되기까지 118년이 더 걸릴 것으로 예상되었다. 둘째로는 성 평등의 실현이 교착상태에 빠졌다고 할 만큼 굉장히 느린 속도로 진행되고 있다는 점이다.

이런 맥락에서 제4차 산업혁명이 성별 격차에 미칠 영향에 대해 살펴보는 것은 중요한 일이다. 물리학, 디지털, 생물학 분야에 걸쳐 가속화되고 있는 기술의 변화가 경제, 정치, 사회 속 여성의 역할에 어떠한 영향을 미칠 것인가?

여성 참여자가 높은 직군과 남성 참여자가 높은 직군 가운데 어떤 직업이 자동화에 더욱 민감한지부터 살펴보아야 한다. 세계경제포럼의 〈직업의 미래 보고서〉에 따르면 성별 격차 없이 모든 직군에서 대량의 일자리 감소 사태가 벌어질 것으로 보인다. 남성 노동자 비율이 높은 제조업, 건설, 설비 분야의 자동화로 실업률이 높아질 것으로 예상되고, 인공지능의 발달과 서비스 분야의 업무 디지털화로 개발도상국의 콜센터 직업(생계를 위해 가족 내 가장 먼저 사회에 진출하는 젊은 여성이 높은 비율로 속해 있다)부터 (중하층 여성을 주로 고용하는) 소매업과 선진국의 행정 분야 업무까지 수많은 직업군이 위험에 처해 있다.

실직은 많은 상황에서 부정적 효과가 크지만, 여성이 노동시장에 진입할 수 있었던 다양한 직업군에서 대량의 실직 사태가 벌어질 때 누적되는 효과는 사회적으로 큰 문제를 야기한다. 특히나, 저직능 여성이 꾸리던 단일소득 가정이 위험에 처하게 되고, 맞벌이 가정의 경우 총소득이 줄어들게 되며, 전 세계적으로 이미 문제가 되고 있는 남녀 격차가 더욱 벌어지는 결과를 초래한다.

하지만 새로 등장하는 일자리와 직업군은 없을까? 제4차 산업혁명으로 노동시장에 발생할 여성을 위한 기회는 무엇일까? 아직 구체적으로 형성되지 않은 산업 분야 내 어떠한 능력과 기술이 필요할지 예측하기는 어렵다. 하지만 기술적 시스템에 발맞춰 일하는 능력 또는 기술혁신이 채우지 못하는 틈새를 채우는 능력에 대한 고용시장의 수요가 늘어갈 것이라는 점은 충분히 예상할 수 있다.

컴퓨터공학, 수학, 엔지니어링 분야는 아직까지도 남성 노동자의 수가 압도적으로 많기 때문에 전문화된 기술적 능력에 대한 수요가 더욱 늘어남에 따라 남녀 성비 불균형의 격차는 더욱 악화될 것으로 보인다. 하지만 기계가 채울 수 없는 부분, 가령 공감과 연민 등 인간의 본성과 능력에 기인한 역할에 대한 수요는 늘어날 것이다. 심리학자, 치료사, 코치, 이벤트 플래너, 간호사 및 의학보건 분야에서는 여성이 훨씬 우세한 편이다.

여성 노동자가 많은 직군은 미래에도 여전히 저평가될 가능성이 높기 때문에 기술적 능력을 요하는 직업에서 시간과 노력에 따른 상대 수익률은 중요한 요소다. 이러한 가정하에 우리는 제4차 산업혁명이 남성과 여성의 역할에 더 큰 격차를 가져오게 될 것이라는 사실을 알 수 있다. 불평등과 성 격차가 더욱 크게 벌어지고 여성이 미래에 자신의 능력을 일터에서 펼치기 더욱 어려워지는 상황이 발생하며 제4차 산업혁명의 부정적 폐해가 발생한다. 남녀 성비가 잘 어우러진 조직의 경우 창의성과 효율성이 높아지고, 여기서 얻는 이익과 다양성으로 창출되는 가치가 사라지게 될 수도 있다. 일반적으로 여성이 더 많이 지니고 있는 특성과 능력은 제4차 산업혁명 시대에 더욱 많이 요구될 것이다.

남성과 여성 각각에게 제4차 산업혁명이 어떤 영향력을 미칠지 예상할 수 없으나, 이 혁명으로 발생하는 경제 개편을 통해 노동정책과 사업상 관행을 변화시키는 계기로 삼아 남성, 여성 모두가 자신의 역량을 충분히 발휘할 수 있는 사회를 만들어나가야 한다.

경제 Economy

노동의 본질

the fourth industrial revolution

노동의 주요 패러다임이 근로자와 기업이 지속적 관계가 아닌, 일련의 거래 관계로 점차 바뀌어가는 새로운 세상은 15년 전 출간된 다니엘 핑크Daniel Pink의 저서 《프리 에이전트의 시대Free Agent Nation》[26]에서 이미 소개되었다. 이러한 새로운 트렌드는 과학기술 혁신으로 더욱 가속화되었다.

오늘날 온디맨드 경제는 일과 사람의 관계, 그리고 노동을 포함한 사회적 구조와 사람의 관계를 근본적으로 변화시키고 있다. '휴먼 클라우드Human Cloud'의 방식으로 업무를 처리하는 고용주가 점차 늘어나고 있다. 전문직 활동은 구체적 업무와 개별적 프로젝트로 나뉘어져 세계 곳곳의 잠재 노동자가 등록된 가상의 클라우드에 업로드된다.

이는 새로운 온디맨드 경제로, 노동 제공자는 더 이상 전통적 의미의 피고용자가 아닌, 특정 업무만을 수행하는 독립형 노동자independent worker가 된다. 뉴욕대 스턴 비즈니스스쿨Stern School Business at NYU의 교수인 아룬 순다라라잔Arun Sundararajan은 저널리스트 파하드 만주Farhad Manjoo를 통해 《뉴욕타임스》에 기고한 칼럼에 아래와 같이 자신의 견해를 밝혔다.

"미래에는 노동자들 가운데 일부가 수익 창출을 위해 자신이 한 일에 대한 포트폴리오를 작성해야 할지도 모릅니다. 우버 드라이버, 인스타카트Instacart(식료품 주문 대행업체)에서 장 보는 사람, 에어비앤비 호스트, 태스크 래빗Taskrabbit(심부름업체) 직원처럼요."[27]

노동시장의 이러한 변화로 디지털 경제에서 기업들, 특히 빠르게 성장하는 스타트업 기업이 누리는 이점은 분명하다. 휴먼 클라우드 플랫폼은 노동자를 자영업자로 분류하기 때문에 기업은 지금 최저임금제와 고용에 따른 각종 세금에서 자유롭다. 영국의 엠비에이 앤 컴퍼니MBA&Company의 최고 경영자인 다니엘 캘러한Daniel Callahan은 《파이낸셜타임즈Financial Times》에 다음과 같은 내용의 기사를 기고했다. "이제 우리는 원하는 사람을, 원하는 때에, 원하는 방식으로 고용할 수 있습니다. 그들은 우리에게 소속된 노동자가 아니기 때문에 고용 과정에서 발생하는 성가신 일이나 규정에서 자유로울 수 있습니다"라고 고용 형태의 변화를 예고했다.[28]

클라우드를 사용하는 사람들이 얻게 될 가장 큰 이점은 바로 자유(일하거나 일하지 않을 자유)와 전 세계적으로 연결된 가상 네트워크로 노동 공간에 대한 구속력에서 완벽히 벗어날 수 있다는 사실이다. 일부 독립적 노동자는 휴먼 클라우드가 굉장한 자유와 낮은 스트레스, 높아진 직업 만족도라는 이상적인 시스템을 제공한다고 밝혔다. 휴먼 클라우드는 아직 초기단계에 머물러 있지만, 이미 이 시스템이 암묵적인 오프쇼어링을 수반한다는 일화적 증거가 상당수 존재한다(암묵적이라고 한 이유는 휴먼 클라우드 플랫폼의 목록이 공개되지 않았고, 플랫폼 데이터를 공개해야 할 의무가 없기 때문이다).

휴먼 클라우드는 인터넷 연결만 가능하다면 누구나 기회를 얻을 수 있고, 전문 인력의 부족 현상을 해결할 수 있는 새롭고 유연한 직업 혁명의 시초인가, 아니면 규제가 없는 가상의 노동 착취 상황으로 치닫게 되는, 바닥을 향한 멈출 수 없는 레이스의 시작일까? 만약 결과가 후자라면, 하루하루 생계를 유지하기 위해 일거리를 전전하며 노동권리도, 단체 교섭권도, 고용 안정도 없는 '프레카리아트precariat(불안정한을 뜻하는 'precarious'와 최하층민을 뜻하는 'proletariat'를 합성한 조어. 불안정한 고용·노동 상황에 놓인 비정규직, 파견직, 실업자, 노숙자들을 총칭-옮긴이 주)' 세상으로 향하는 여정의 시작이라면 이는 사회적 불안감과 정치적 불안정을 야기하는 강력한 원인이 되지 않을까? 결국, 휴먼 클라우드의 발전은 그저 인간 직업의 자동화를 앞당기는 역할을 하게 되는 것은 아닐까?

우리에게 당면한 문제를 해결하기 위해서는 변화하는 노동력과 진화하는 노동의 본질에 걸맞은 새로운 형식의 사회계약과 근로계약을 만들어야 한다. 노동시장의 성장을 저해하지 않고, 노동자들이 원하는 방식으로 일할 수 있는 선택권을 침해하지 않는 선에서 휴먼 클라우드가 노동력 착취로 이어지지 않도록 감시해야 한다. 만약 이런 노력이 이루어지지 않는다면, 제4차 산업혁명 때문에 직업의 미래는 어두워질 것이다. 런던 비즈니스 스쿨London Business School에서 경영학 교수로 재직 중인 린다 그래튼Lynda Gratton이 저서 《일의 미래The shift: The Future of Work is Already Here》[29]에서 밝힌 것처럼 사회적 분열과 고립, 소외의 정도가 심화될 것이다.

이 책을 통해 지속적으로 말해온 것처럼, 선택은 우리의 몫이다. 모든 것은 우리의 정책과 제도적 결정에 달려 있다. 하지만 규제에 대한 반발은 항상 존재할 수 있기 때문에 정책을 결정하는 과정 속에서 정책입안자들에게는 힘을 실어주고, 구성원 모두 복잡한 시스템에 대한 적응력을 높일 수 있도록 힘써야 한다.

목적의 중요성

능력과 기술만이 중요한 것은 아니다. 과학기술이 효율성을 높인다는 것은 이미 사실이고, 이는 우리 대부분이 원하는 바다. 그러나 우리는 프로세스의 일부가 아닌 조금 더 의미 있는 존재이고 싶어 한다. 카를 마르크스Karl Marx는 전문화 과정이 우리가 일에서 찾고자 하는 목적의식을 축소한다고 우려했던 반면, 버크민스터 풀러Buckminster Fuller는 "인간의 다양한 범위를 조율하고 검색하는 능력을 차단하고, 강력한 일반적 원칙들을 더 이상 발견할 수 없게 만드는 경향이 있다"[30]는 말로 과도한 전문성의 위험을 경고한 바 있다.

심화된 복잡성과 초전문화의 조합으로, 우리는 목적의식이 뚜렷한 직업에 종사하고픈 바람이 가치의 우선이 되는 시점에 와 있다. 특히, 기업에 속해 일을 하는 것이 삶의 의미와 목표를 찾는 데 방해가 된다고 생각하는 젊은 세대에게는 더욱 그렇다. 장벽이 사라지고 사람들의 욕구가 변화하고 있는 시대에 사람들이 원하는 것은 일과 삶의 균형뿐 아니라 일과 삶의 조화로운 상태다. 다만, 직업의 미래가 오직 소수의 사람들에게만 일과 삶의 조화를 허용하게 될까 우려된다.

기업 Business

파괴적 혁신과 기업

the fourth industrial revolution

모든 조직에 영향을 미칠 성장 패턴과 노동시장, 그리고 직업의 미래가 변화하는 것을 넘어, 제4차 산업혁명이 이끄는 과학기술이 앞으로 기업의 운영 및 조직, 재원 조달에 중요한 영향을 미치게 될 것이라는 확실한 증거가 있다. 그중 가장 눈에 띄는 사실은 '스탠더드앤드푸어스S&P, Standard & Poor's 500지수 편입 기업의 평균 수명이 60년에서 18년 정도로 줄어들었다는 분석 결과다.[31] 또 다른 증거는 신생 기업이 시장을 장악해 의미 있는 수익을 달성하는 데 걸리는 시간의 변화다. 페이스북은 창립 6년 만에 연 수익 10억 달러를 기록했고, 구글은 같은 목표를 달성하는 데 고작 5년이 걸렸다. 디지털 역량을 기반으로 한 신기술이 기업의 성장 속도와 규모의 변화를 가중시키고 있

086　　　　　　　　　　　　　／　1부 제4차 산업혁명의 시대

다는 점에서 우리는 더 이상 의심할 여지가 없다.

나는 글로벌 기업의 CEO 및 고위 중역들과 대화를 나눌 때마다 오늘날과 같은 정보의 홍수 속에서는 파괴적 혁신의 속도와 발전의 가속화 현상을 받아들이기도, 예측하기도 어렵다는 사실을 절감한다. 파괴적 혁신의 속도와 발전의 가속화는 끊임없이 우리에게 놀라움을 선사한다. 이런 상황 속에서 리더들에게는 끊임없이 학습하고 적응력을 높이면서 독자적인 운영 모델을 구축할 수 있는 능력이 요구된다. 이런 능력은 성공적인 비즈니스 모델 구축이 가능한 차세대 리더를 구분하는 잣대가 될 것이다.

따라서 제4차 산업혁명으로 인해 기업의 리더들에게 당면한 가장 시급한 과제는 자신과 자신이 속한 조직을 보다 객관적으로 바라볼 수 있는 시각을 겸비하는 것이다. 조직과 리더십이 학습을 통해 변화한 사례가 있는가? 시제품을 만들고, 투자를 위한 의사결정을 신속하게 진행한 사례가 있는가? 기업의 문화가 혁신과 실패를 수용하는가? 기업의 정체성까지 뒤흔들 정도로 파괴적인 이 혁신과 변화의 속도는 더욱 빨리질 것이다. 따라서 리더들은 자신의 조직이 급작스러운 변화에 대응할 수 있는 능력을 갖추고 있는지 냉철하고 객관적인 시각으로 볼 필요가 있다.

파괴적 혁신을 이끄는 요인

다양한 원인에 따라 파괴적 혁신이 기업에 주는 영향 또한 다르다. 공급 측면에서 볼 때, 다양한 산업 분야에서 기존과 전혀 다른 방식으로 수요에 응하고, 전통적인 가치사슬을 파괴하는 수많은 혁신기술이 도입되고 있다. 이와 유사한 사례는 무수히 많다. 에너지 부문에서는 새로운 저장 장치 및 그리드grid 기술의 도입으로 분산형 에너지원으로의 전환이 눈에 띄게 가속화되고 있다. 또한 3D 프린팅 기술이 다양한 분야에 널리 활용되면서 분산 생산과 예비 부품 정비가 더욱 용이해지고 비용도 절감됐다. 실시간 정보 시스템을 활용해 고객의 니즈를 정확하게 분석, 판별하고, 다른 기술적 트렌드와 협업을 통해 고객의 자산을 관리하는 데 필요한 특별한 전략을 수립할 수 있게 되었다.

파괴적 혁신으로 민첩하고 혁신적인 역량을 갖춘 기업은 연구, 개발, 마케팅, 판매, 유통 부문에서 글로벌 디지털 플랫폼을 활용해 품질, 속도 그리고 가격 개선을 통해 그 어느 때보다 빠르게 거대 기업을 추월할 수 있는 가능성을 열었다. 파괴적 혁신은 민첩하고 혁신적인 경쟁력을 갖춘 기업에서 나온다. 이런 이유로 수많은 기업 리더들이 그동안 경쟁자로 간주하지 않았던 기업을 오히려 가장 큰 위협으로 느끼고 있다. 그러나 파괴적 혁신이 스타트업start-up에만 적용된다고 생각하면 큰 오산이다. 기존의 거대 기업 역시 고객층과 인프라 그리고 기술에 디지털 역량을 적용해 분야 간 경계를 넘나들며 활동 영역을 넓혔다. 전기통신 기업telecommunication이 헬스케어와 자동차 분야에 뛰어든 사례도 같은 맥락에서 이해할 수 있다. 이런 전략을 제대로 활용한다면 규모 역시 경쟁력을 확보할 수 있다.

수요 측면의 주요한 전환도 기업을 파괴적 혁신으로 안내하는 요소다. 높아진 투명성, 소비자 참여의 증대 그리고 (모바일 네트워크와 데이터 위에 구축된) 새로운 패턴의 소비자 행동양식이 기업의 기존 제품 및 신상품과 서비스의 디자인, 마케팅 및 전달 방식 변화에 적응하도록 강요하고 있다.

제3차 산업혁명이 단순한 디지털화에서 비롯되었다면, 제4차 산업혁명은 보다 새롭고 다양한 방식으로 기술이 결합된, 훨씬 더 복잡한 형태를 지향하는 거침없는 전환이다. 이런 변화는 모든 기업이 자사의 운영 방식을 전면 재검토하거나, 기존 전략의 형태를 바꿀 수밖에 없는 상황을 만들었다. 몇몇 기업은 새로운 가치 창출 영역 개척이 인접한 부문에서 새로운 비즈니스 모델을 구축하는 것일 수도 있고, 반면 다른 기업에게는 이미 선점한 부문에서 변화하고 있는 가치 창출 분야를 찾아내는 것일 수도 있다.

그러나 핵심은 여전히 동일하다. 기업 리더와 고위 중역들은 이 파괴적 혁신이 수요와 공급 모두에 미치는 영향을 제대로 이해해야 한다는 사실이다. 그러기 위해서는 기업에서 운영되고 있는 팀들이 기존 질서에 도전하고 새로운 업무 방식을 모색해야 한다. 간단히 말하자면, 기업은 지속적으로 혁신을 도모해야 한다.

고객 기대의 변화

the fourth industrial revolution

개인고객(B2C)이든 기업고객(B2B)이든 간에 고객이 점점 더 디지털 경제의 중심이 되고 있는 것은 사실이다. 이는 고객이 어떠한 서비스를 받는지에 달려 있다. 고객의 기대는 경험으로 재정립된다. 우리가 애플 제품을 경험한다는 것은 그 제품을 어떻게 사용하느냐 하는 것뿐 아니라, 제품의 패키지, 브랜드 가치, 구매 과정 및 고객 서비스 등을 모두 포함한다. 따라서 애플은 제품의 경험을 포함한 고객의 기대를 재정립하고 있다.

인구통계학을 바탕으로 고객에게 접근했던 전통적 방식에서, 이제는 데이터 공유 및 소통을 하려는 의사에 기초해 타깃 잠재 고객을 파악할 수 있는 디지털 기준을 활용하는 방식으로 옮겨가고 있다. 소유에서 공유로의 변화가 (특히 도시에서는) 더욱 가속화되고 있어, 데이터 공유는 기업이 고객에게 기업 가치를 전달하는 데 반드시 필요한 부분이 될 것이다. 예를 들면, 카셰어링car-sharing(차량공유) 비즈니스를 위해서는 자동차 회사, 유틸리티, 커뮤니케이션 그리고 은행 업무와 관련한 개인정보와 금융정보의 통합이 전제되어야 한다.

대다수의 기업이 고객 중심으로 운영되고 있다고 주장하지만, 실상은 실시간 데이터와 그 분석 결과를 활용해 고객층을 선정하고 서비스를 제공하는 방식을 통해 그 주장의 진위여부가 가려질 것이다. 디지털 시대는 소통의 인간적인 면이 모든 과정의 중심에 자리 잡으면서 데이터에 대한 접근과 활용, 제품과 제품에 대한 경험의 개선, 그리고 끊임없는 조정과 개선의 세계로 이동한다.

이제는 개인과 산업 그리고 생활양식에서 행동양식에 이르기까지 데이터의 다양한 원천을 활용할 수 있다. 이에 따라 기업은 최근까지 상상도 할 수 없었던 고객의 구매 과정에 대한 세밀한 통찰력을 지닐 수 있게 되었다. 오늘날 데이터와 메트릭스(정량적 평가 측정지표)는 마케팅과 판매 전략을 결정하는 고객의 니즈(수요)와 행동양식에 대한 중요한 통찰력을 거의 실시간으로 제공한다.

이러한 디지털화 추세는 현재 더 높은 투명성을 확보하는 방향으로 진행되고 있다. 더 높은 투명성의 의미는 공급망에 더 많은 데이터가 제공되고, 소비자 역시 많은 양의 데이터를 쉽게 확보할 수 있게 되어 제품 성능에 대해 피어그룹 간 더 많은 비교가 가능해지면서 결국 권력이 소비자에게로 이동한다는 뜻이다. 예를 들면, 가격 비교

사이트를 통해 소비자는 가격과 서비스의 품질 및 제품의 성능에 대해 비교하기 쉬워졌다. 마우스 클릭이나 손가락을 한 번 움직이는 것만으로 소비자는 즉각적으로 하나의 브랜드에서 다른 브랜드로, 서비스 및 디지털 소매업자에서 다른 소매업자로 이동할 수 있게 되었다. 기업은 더 이상 저조한 실적의 책임을 면할 수 없게 되었다. 브랜드 가치는 성취하기 어렵지만, 잃기는 쉽다. 더 투명해진 세상에서는 이런 현상이 보다 심화될 것이다.

대부분 (1980년대 초에서 2000년대 초에 출생한) 밀레니얼millennial 세대가 소비자 트렌드를 선도한다. 우리는 현재 왓츠앱WhatsApp을 통해 하루 300억 개의 메시지가 발송되고,[32] 미국 젊은이의 87퍼센트가 스마트폰을 항상 몸에 지니고 생활하며, 44퍼센트는 하루도 빠짐없이 스마트폰의 카메라 기능을 사용하는 온디맨드 경제 속에 살고 있다.[33] 피어그룹 간 공유peer-to-peer sharing가 일상화되고, 사용자가 콘텐츠를 만들어내는 '지금now'의 세상이다. 즉, 교통안내가 지금 제공되고, 식료품이 '지금' 현관 앞으로 배송되는 실시간real-time 세상인 것이다. 오늘날과 같은 '지금의 세상now world'에서 기업은 그들이 어디에 있든지, 소비자 또는 고객이 어디에 있든지 실시간으로 대응해야 한다.

고소득 경제에만 해당하는 상황이라고 가정하는 것은 실수다. 중국의 온라인 시장을 보자. 2015년 11월 11일, 알리바바그룹Alibaba Group이 '싱글데이'라고 이름 붙인 이날에 전자상거래 온라인 거래 규모가 140억 달러를 넘었고, 이 중 68퍼센트는 모바일 기기를 통해 거래가 이루어졌다.[34] 모바일폰의 사용이 가장 빠르게 증가하고 있는 사하라 사막 이남의 아프리카는 모바일인터넷이 어떻게 유선인터넷을 뛰어넘는지 보여주는 단적인 사례다. 국제이동통신사협회GSM Association는 앞으로 5년 동안 사하라 사막 이남 아프리카에서 2억 4,000만 명의 모바일인터넷 사용자가 추가로 늘어날 것이라 전망했다.[35] 소셜 미디어의 보급률은 선진국이 가장 앞서지만 동아시아, 동남아시아, 중앙아메리카 역시 세계 평균 보급률인 30퍼센트를 상회하고 있으며, 지금도 빠르게 증가하고 있다. 중국에 기반한 모바일 문자 및 음성 메시지 서비스인 위챗WeChat(Weixin)의 경우 2015년 한 해 동안만 1억 5,000만 명의 사용자를 추가로 확보했다. 이는 최소 전년 대비 39퍼센트나 늘어난 수치다.[36]

빅 데이터를 활용한 품질 향상

the fourth industrial revolution

디지털 역량을 통해 상품과 서비스의 품질이 개선되고 가치가 증대되면서, 새로운 기술은 조직이 자산을 인식하고 운영하는 방식을 변화시키고 있다. 예를 들면, 테슬라Tesla는 OTA(over-the-air) 소프트 업데이트 프로그램과 제품의 연결성을 활용해 구매 후 제품(자동차)의 가치가 하락하기보다는 오히려 향상될 수 있음을 보여준다.

신소재가 자산의 내구성과 탄력성을 높이는 것처럼, 데이터와 분석기술도 점검 및 보수의 역할을 변화시키고 있다. 자산에 내장된 센서의 분석기술로 지속적인 모니터링과 사전 점검 및 보수가 가능해지면서 자산의 활용성을 극대화할 수 있게 되었다. 더 이상 특정 결함을 찾아내는 데 초점이 맞춰진 것이 아니라, 장비의 일부가 표준 운영 틀에서 벗어나는 순간 바로 표시되는 성능 벤치마크를 활용하는 데 초점이 놓여 있다. 이 성능 벤치마크는 센서가 제공하고 알고리즘이 모니터한 데이터에 기반하고 있다. 항공기의 경우, 비행기의 엔진 결함을 조종사보다 항공사의 통제센터가 먼저 발견할 수 있게 되는 것이다. 따라서 결함에 따른 대처 방안을 조종사에게 전달하고, 비행기가 목적지에 착륙하기 전에 미리 정비팀을 가동할 수 있다.

점검 및 보수에 더해 자산의 성능을 예측할 수 있는 능력은 새로운 비즈니스 모델 구축을 가능하게 한다. 데이터 분석은 자산 운영에 있어 허용되는 오차의 수준을 판단할 수 있는 기준을 마련해주고, 기업의 니즈에 핵심적이거나 전략적이지 않은 제품을 아웃소싱할 근거를 마련해준다. 이런 과정을 통해 자산의 성능은 시간의 흐름에 따라 측정되고 관찰된다. 에스에이피SAP 기업의 경우 농업용 제품에서 얻은 데이터를 기계의 가동 시간과 이용률을 늘리는 데 활용하고 있다.

자산의 성능을 예측하는 기술은 제품의 가격 측정에도 새로운 기회를 제공한다. 리프트나 통로와 같이 처리량이 높은 자산의 경우 자산 성능에 따라 가격이 책정될 수 있으며, 서비스 제공자들은 가동시간 99.5퍼센트의 한계점을 기준으로 일정 기간 내 기기의 실제 성능에 따라 대가를 지급받는다.

트럭 회사의 경우를 예로 들어보자. 장거리 운송업자는 주기적으로 새 타이어를 구매하는 것보다, 1,000킬로미터 도로주행을 기준으로 타이어 제조업자에게 돈을 지불하는 제안에 더 관심이 있다. 센서와 데이터 분석의 결합으로 타이어 회사는 트럭 운전자의 운전 스타

일과, 연료 소비, 타이어 마모 상태를 관찰해 처음부터 끝까지end-to-end 완벽한 서비스를 제공할 수 있게 되었다.

협력을 통한 혁신
the fourth industrial revolution

　데이터 분석을 통한 고객의 경험, 데이터 기반 서비스 그리고 자산 성능이 측정되는 세상에서는 새로운 형태의 협력이 요구된다. 특히, 파괴적 혁신의 속도를 고려하면 더욱 그렇다. 기존 기업과 확고히 자리 잡은 기업은 물론이고 역동적인 신생 기업도 마찬가지다. 이미 시장을 장악한 기업들은 날로 진화하는 고객의 욕구를 만족시킬 구체적 능력과 세심함이 부족하고, 신생 기업의 경우는 자본이 없고 성숙한 기업에서만 나올 수 있는 풍부한 데이터가 부족한 실정이다.

　세계경제포럼의 〈기업의 변화와 성장을 이끄는 협력적 혁신Collaborative Innovation: Transforming Business, Driving Growth〉 보고서는 기업들이 협력적 혁신을 통해 자원을 공유할 때, 경제와 기업 모두에게 중요한 가치가 창출된다고 서술하고 있다. 최근에 있었던 연구개발 분야에 연간 약 40억 달러를 투자하는 거대 기업 지멘스Siemens와 2008년 스탠퍼드대학교Stanford University에서 설립한 기계학습 전문기업이자 세계경제포럼의 테크놀로지 파이어니어Technology Pioneer 상을 수상한 아야스디Ayasdi가 협력한 케이스가 가장 좋은 예다. 이 전략적 협력을 통해 지멘스는 방대한 데이터에서 인사이트를 찾아내는 복잡한 문제 해결에 도움을 줄 수 있는 파트너를 만났고, 아야스디는 실제 데이터를 바탕으로 위상데이터 분석topological data analysis의 위력을 입증해 시장 내 영향력을 확대하게 되었다.

하지만 이러한 협력이 성사되기까지의 과정은 쉽지 않다. 협력에 관계하는 회사들은 확고한 전략을 세우고, 적합한 파트너를 찾은 다음, 양측의 커뮤니케이션 채널을 구축하고, 프로세스를 일치시키며, 협력 파트너십 안팎으로 변화하는 상황에 유연하게 대처할 수 있는 방안 마련에 상당한 투자를 해야만 한다. 때로는 이런 협력이 도시 카셰어링 제도와 같은 완전히 새로운 비즈니스 모델을 만들어내기도 한다. 이렇게 탄생한 비즈니스 모델은 다양한 산업 분야의 기업들이 통합적 고객경험을 제공하게 한다. 협력 파트너십의 결과로 탄생한 새로운 비즈니스 모델은 파트너십 체인에 참여한 기업들 중 가장 약한 기업에 의해 결정된다. 포괄적인 협력 방안을 어떻게 구축할 것인지 이해하기 위해서는, 협력 기업 간 마케팅과 판매 협약을 넘어선 합의가 이루어져야 한다. 제4차 산업혁명은 기업들이 실제 오프라인과 온라인 세상에서 상생할 수 있는 방법을 강구하도록 요구하고 있다.

신(新) 기업 운영 모델

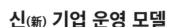

제4차 산업혁명이 가져올 다양하고 강력한 영향력을 감안했을 때, 기업은 자신의 운영 모델에 대해 다시 한 번 재고할 필요가 있다. 이에 부응해 더욱 빠르고, 민첩한 기업 운영이 이상적 모델로 떠오르면서, 기존의 전략적 기획이 도전을 받고 있다.

앞서 언급한 바와 같이, 디지털화에 따른 네트워크 효과로 가능해진 주요한 운영 모델이 바로 플랫폼이다. 우리는 이미 제3차 산업혁명에서 디지털 플랫폼의 등장을 목격했다. 제4차 산업혁명의 특징은 실제 세상과 직접 연결된 글로벌 플랫폼의 출현이다. 플랫폼 전략은 수익성이 높고 또 파괴적이다. MIT 슬로언 경영대학원MIT Sloan School of Management의 연구에 따르면, 2013년 시가총액 기준 상위 30대 브랜

드 가운데 14개의 브랜드가 플랫폼 중심 기업이었다.[37]

더욱 심화된 고객 중심 사고와 데이터 활용을 통한 제품의 가치 제고 필요성이 결합된 플랫폼 전략은 많은 산업의 중심을 제품 판매에서 서비스 제공으로 이동시키고 있다. 물건을 구매하고 실물 제품을 소유하고자 하던 소비자의 수는 점점 줄고, 디지털 플랫폼을 통해 서비스를 제공받고 돈을 지불하는 소비자의 수는 점점 증가하는 추세다. 이제 소비자는 아마존의 킨들 스토어Kindle Store에서 디지털화한 수십억 권의 책을 언제든 읽을 수 있고, 스포티파이Spotify를 통해 세상 거의 모든 노래를 들을 수 있고, 실제로 차를 구매하지 않아도 이동 서비스를 제공하는 카셰어링에 합류할 수 있다. 이 강력한 변화는 경제 안에서 더욱 투명하고 지속가능한 가치 나눔 모델을 형성한다. 그러나 이것은 우리가 오너십을 어떻게 정의해야 할지, 어떻게 무한의 콘텐츠를 만들고 활용할지, 규모를 앞세워 엄청난 서비스를 제공하는 플랫폼과 어떻게 소통할 것인지에 대한 고민을 남긴다.

세계경제포럼의 '산업의 디지털 전환Digital Transformation of Industry 이니셔티브 프로젝트'는 제4차 산업혁명의 활용을 위해 설계된 수많은 형태의 비즈니스와 운영 모델에 대해 강조한다. 이미 앞에서 언급한 '고객 중심' 역시 이 가운데 하나로, 프론트 라인(영업점 및 고객 접점 채널)에 가장 많은 노력을 기울이고, 고객을 가장 우선시하도록 직원을 교육하는 네스프레소Nespresso 기업이 새로운 운영 모델의 모범사례로 꼽혔다. '검소한 비즈니스frugal business' 모델은 새로운 형태의 최적화 전략을 개발하기 위해 디지털, 물리학 그리고 인간 영역의 상호작용이 제공하는 기회를 활용한다. 이에 해당하는 기업으로는 낮은 비용으로 높은 수준의 서비스를 제공하는 미쉐린Michelin이 있다.

데이터를 활용하는 비즈니스 모델의 경우, 광대한 고객 정보를 활용해 새로운 수입원을 창출하고, 통찰력을 갖기 위해 점점 더 데이터 분석과 소프트웨어 정보에 의존하게 된다. 자동화에 초점을 맞춘 '스카이넷Skynet' 타입의 기업들은 위험한 산업 분야와 장소를 중심으로 점점 일반적인 시스템이 되고 있는 반면, '개방적이고 유연한' 기업들은 스스로를 '가치 창출'이라는 유동적 생태계의 일부로 자리 잡게 한다. 많은 기업이 에너지 사용과 물자 흐름의 효율을 높여 자원 보존, 비용 절감, 그리고 긍정적인 환경 효과를 창출하는 새로운 기술의 도입에 중점을 둔 비즈니스 모델로 눈을 돌리고 있다. ([박스 2] '자연 환경 재생과 보존', pp.109~111 참고)

이러한 비즈니스 모델의 변화로, 기업은 디지털 인프라에서 발생하는 범죄자, 행동가activist, 또는 의도치 않은 오류로 발생하는 직접적인 피해를 방지하기 위해 사이버 및 데이터 보안 시스템에 막대한 투자를 해야 할 필요가 있다. 사이버 공격 때문에 발생하는 연간 전체 비용이 대략 5,000억 달러 규모다. 소니픽처스Sony Pictures, 톡톡TalkTalk, 타깃Target, 바클레이스Barclays 등의 기업이 경험한 일에 비추어 보면, 기업과 고객 정보에 대한 통제력을 상실했을 때 주가에 실질적인 악영향이 미치게 된다는 사실을 알 수 있다. 이것이 바로, 뱅크 오브 아메리카 메릴린치Bank of America Merrill Lynch가 사이버 보안 시장이 2015년 750억 달러 규모에서 2020년까지 1,700억 달러로 두 배 이상 늘어날

것이며, 향후 5년간 연평균 15퍼센트 이상 성장할 것이라고 추정한 이유다.[38]

새로운 운영 모델이 등장할 때마다 새롭게 요구되는 기술과 적합한 인적자원 영입의 필요성을 고려한다면, 기업은 인재와 문화 확립에 대해 다시 생각해봐야 한다. 산업 분야를 막론하고 데이터가 의사결정과 운영 모델의 중심이 되면서 새로운 기술을 가진 노동력이 요구되며, 한편으로는 (예를 들어, 실시간 정보를 활용하는 등) 프로세스가 업그레이드되고 문화가 진화해야 한다.

이제 기업은 '인재주의talentism'(2016년 세계경제포럼에서 처음으로 언급된 용어. 단순한 개념의 '인재주의'가 아닌, 기업에 적합한 인재를 영입해 그들이 창의력과 혁신을 펼칠 수 있도록 한다는 개념으로, 이 과정에서 조직문화의 개편이 필요하다-옮긴이 주)의 개념을 수용할 필요가 있다. 인재주의는 경쟁력 확보를 위해 가장 중요하게 여겨야 할 새로운 개념이다. 인재가 전략적 우위의 주요한 형태이기 때문에, 조직의 구조적 특성에 대해 다시 생각해야 할 것이다. 유연한 계층 문화와 직원의 성과를 측정하고 보상하는 새로운 방식, 그리고 능력 있는 인재를 영입하고 유지하는 새로운 전략이 기업의 성공을 좌우하게 된다. 기업이 민첩하게 움직일 수 있는 능력을 갖추기 위해 우선순위 설정과 유형자산 관리에 힘을 쏟는 것처럼, 직원의 동기부여와 소통에도 그 이상의 투자가 필요하다.

성공하는 기업이 되려면 계층적 구조에서 네트워크를 강화하는 협력적 모델로 점점 바뀌어야 한다. 직원과 경영진이 업무에 대한 능통

성과 독립성, 그리고 의미를 추구하기 위해 서로 협력하려는 열망이 만들어낸 동기부여는 점점 더 내적인 요인이 될 것이다. 이를 위해 기업은 업무에 대한 데이터와 의견을 지속적으로 교류할 수 있는 환경을 만들어 분산된 팀과 원격 근무자, 역동적인 공동 사업이 균형을 이루어 잘 어우러질 수 있도록 해야 한다.

이러한 변화를 수용한 새로운 일터의 모습은 사물인터넷과 결합한 웨어러블Wearable 기술의 급속한 성장을 바탕으로 이루어진다. 기술 결합을 통해 기업은 지속적인 디지털 경험과 실제 경험을 조합해 고객뿐 아니라 노동자에게도 이익을 가져다줄 수 있다. 예를 들어, 굉장히 복잡하고 정교한 장비를 다루거나 어려운 환경에서 작업하는 노동자는 웨어러블 기기를 활용해 부품 설계와 수리 문제를 해결할 수 있다. 기계에 연결된 다운로드, 업데이트 시스템을 통해 현장 노동자는 최신 기술을 활용할 수 있고, 그들이 사용하는 자본설비 역시 최신 개발된 기술로 업그레이드가 가능해진다. 클라우드를 기반으로 한 소프트웨어를 업그레이드하고, 클라우드를 통해 데이터 자산을 최신 정보로 업데이트하는 일이 제4차 산업혁명 시대에는 지극히 평범한 일상으로 다가올 것이다. 다가올 미래에는 인간과 기술이 서로 조화를 이루도록 만드는 일이 훨씬 더 중요해질 것이다.

물리학, 디지털, 그리고 생물학의 융합

물리학, 디지털, 생물학 기술을 다차원적으로 결합해 활용할 수 있는 기업은 산업 전체는 물론 생산, 유통, 소비 등과 관련한 시스템에 파괴적 혁신을 일으키는 데 성공할 가능성이 높다.

수많은 도시에서 우버가 인기를 얻기 시작한 이유는 향상된 고객 경험에서 비롯되었다. 모바일 기기를 통해 차량의 위치는 물론 차종까지 확인할 수 있고, 결제 역시 간편하게 이루어진다. 이 모든 특징으로 인해 결과적으로 차량은 정해진 시간에 목적지에 도착하게 된다. 실물 상품(A에서 B까지 고객을 이동시키는 운송수단)과 자산 활용의 극대화(운전자가 소유한 자동차)를 통해 고객의 경험이 확대될 수 있다. 디지털이 만들어내는 기회는 대체적으로 가격의 상승 혹은 하락으로 이어질 뿐 아니라, 비즈니스 모델의 근본적 변화까지 불러온다. 서비스의 구매부터 제공까지, 처음부터 끝까지 전체를 관장하는 방식이 이런 변화를 주도한다.

다차원적 결합을 기반으로 한 비즈니스 모델은 디지털 자산과 다양한 디지털 플랫폼이 결합하여 실물 자산(자산의 소유에서 접근 가능성으로 분명한 이동이 일어난다)과의 관계를 재정립할 때 발생하는 파괴적 혁신의 정도를 잘 보여주고 있다. 이러한 시장에서는 어떠한 기업도 자산을 소유하지 않는다.

차를 소유한 운전자가 자신의 차를 시장에 상품으로 제공하고, 집주인은 방을 제공한다. 이 두 가지 경우 모두, 낮아진 거래비용, 마찰비용과 합쳐진 소비자의 경험을 기반으로 경쟁 우위가 생겨난다. 또한 이런 기업들은 수요와 공급을 빠르고 쉽게 조정해 기존 업체들의 비즈니스 모델과 겹치지 않게 한다.

이러한 시장 접근법은 오랫동안 자리를 지켜온 기존 업체의 입지를 점진적으로 약화시키고 산업 간 경계를 허문다. 대다수 기업의 고위 중역들은 앞으로 3년에서 5년간 기업에 영향을 미칠 주된 요인으로 산업의 융합industry convergence을 꼽았다.[39] 플랫폼에 대한 고객의 믿음과 신뢰가 형성되기만 하면, 디지털 공급자provider는 플랫폼을 통해 또 다른 상품과 서비스를 제공하기가 매우 수월해진다.

빠르게 진화하는 경쟁 업체는 전통적인 칸막이silo 문화와 가치사슬을 해체시키고 기업과 고객 사이 공급체인에 존재하던 중개자를 제거한다. 새로운 파괴적 혁신 기업은 기존 업체보다 더욱 낮은 비용으로 빠르게 몸집을 불리고, 그 과정에서 네트워크 효과를 통해 수익을 빠르게 증대시킨다. 온라인 도서 판매업으로 시작해 연간 1,000억 달러 매출의 온라인 소매 대기업으로 진화한 아마존은 고객의 선호를 읽어내는 통찰력 및 기업의 탄탄한 운영 능력과 결합한 고객 충성도 덕분에 다양한 산업 분야의 제품을 판매할 수 있게 된 모범적 사례다. 아마존의 경우는 규모의 수익도 잘 보여주고 있다.

거의 모든 산업 분야에서 디지털 기술은 상품과 서비스의 융합이라는 새로운 파괴적 혁신을 실현했고, 이 과정에서 서로 다른 산업 분야 간에 존재하던 경계 역시 허물었다. 자동차 분야를 살펴보면, 자동차는 더 이상 단순한 기계가 아닌 바퀴가 달린 컴퓨터로, 전자장치가 원가의 약 40퍼센트를 차지한다. 자동차 시장에 진입하려는 애플과 구글의 최근 행보를 보더라도 이제는 기술 기업이 얼마든지 자동차 기업으로 변모할 수 있음을 시사한다. 미래에는 전자기술로 가치가 이동하므로 기술과 라이센싱 소프트웨어가 자동차 제조 자체보다 더 전략적으로 이득이 될 것이다.

금융 산업 역시 이와 유사한 파괴적 변화를 경험하고 있다. P2P_{peer-to-peer} 플랫폼이 금융 산업의 진입 장벽을 허물고 계속해서 비용을 낮추고 있다. 투자 분야에서는 투자 자문 역할을 해주는 '로보 어드바이저리_{robo-advisory}'라는 알고리즘과 애플리케이션이 등장해 과거 2퍼센트이던 거래비용의 일부분에 불과한 0.5퍼센트의 비용으로 투자 자문 서비스와 포트폴리오 도구를 제공하고 있다. 현재 로보 어드바이저리의 등장으로 금융 산업 전체가 위협받고 있다. 금융 산업은 블록체인이 곧 시장 전체의 운영 방식을 혁명적으로 변화시킬 것임을 인식하고 있다. 금융에 블록체인을 적용하게 되면 결제 및 거래비용을 200억 달러까지 낮추고, 산업 전체 시스템을 획기적으로 변화시킬 기회를 잡을 수 있을 것이다. 데이터베이스 공유기술이 중개자 없이도 자동으로 실행되는 스마트 계약(예를 들어, 채권을 발행한 국가나 기업이 디폴트에 처했을 때 자동으로 투자금을 지불해주는 신용파생상품 등)과 같이, 아직 존재하지 않는 상품과 서비스뿐 아니라 고객 계좌 거래 기록 보관과 국경 간 지불시스템_{corss-border payments}, 거래 청산결제_{clearing and settling of trades} 등 다양한 업무를 간소화할 수 있다.

환자 기록의 디지털화와 웨어러블 기기 및 체내 삽입형 기기로 수집된 방대한 정보의 활용을 통해 새로운 진단법과 치료법이 개발되는 것과 같이, 헬스케어 산업 역시 물리학, 생물학, 디지털 기술의 동시다발적 발전을 통합하는 새로운 과제에 직면해 있다.

모든 산업이 동일한 파괴적 혁신 지점에 와 있는 것은 아니지만, 제

4차 산업혁명을 이끄는 힘에 의해 변화 곡선상에 올라가 있다. 산업 분야와 고객 기반의 인구통계학 자료에 따라 차이가 발생하지만, 불확실성이 특징인 세상에서는 적응력이 가장 중요하다. 만약 기업이 변화 곡선상에서 위로 올라가지 못한다면 떠밀리고 말 것이다.

기업이 새로운 세상에서 살아남고 번영하기 위해서는 혁신의 날을 유지하고 지속적으로 향상시켜야 한다. 기업과 산업, 사업체는 다윈의 진화론 압박에 시달리게 될 것이며, 'Always in beta(끊임없이 진전하라)'라는 철학적 모토 아래, 기업가entrepreneure와 사내기업가 intrapreneure(진취적인 사내 매니저)의 숫자가 전 세계적으로 더욱 늘어날 것이다. 이를 바탕으로 소규모 기업과 중소기업은 파괴적 혁신에 대처하는 데 필요한 속도와 민첩성에서 이점을 갖게 될 것이다.

이와 대조적으로 거대 조직들은 큰 규모에서 오는 이점을 최대한 활용하거나, 더 혁신적인 소기업의 인수 혹은 파트너십을 통해 기업 내에서 스타트업과 중소기업 생태계의 장점을 십분 활용할 것이다. 이런 방법을 통해 각각의 사업에서 자율성이 주는 긍정적 효과를 최대한 활용해, 더욱 효율적이고 발 빠르게 조직을 운영할 수 있다. 최근 구글이 지주회사인 알파벳Alphabet의 자회사로 편입한 것 역시 기업의 혁신적 특성과 민첩성을 모두 유지할 필요가 있다는 판단하에 결정된 것으로, 이런 경향을 가장 극명하게 보여주는 사례라고 할 수 있다.

뒤에서 자세히 언급하겠지만, 법과 규제 환경이 연구자, 기업 그리고 시민들이 사용자가 가치를 창출할 수 있는 새로운 기술과 운영 모델을 개발하고 투자하고 도입하는 방식에 중대한 영향을 미칠 것이다. 새로운 과학기술과 혁신적 사업은 많은 사람의 삶의 질을 향상시키는 상품과 서비스를 제공해주는 반면, 우리가 피하고 싶어 하는 결과를 불러일으킬 수도 있다. 앞서 소개했던 광범위한 실직과 불평등의 심화, 자동화 무기 시스템의 위험성, 그리고 새로 등장하는 사이버 위험 요인까지 이 모든 것이 여기에 속한다.

규제의 올바른 조합에 대한 다양한 관점이 존재하지만, 정부, 업계 그리고 시민사회의 여러 리더들과 대화를 나눠본 결과, 모두 공통적으로 한 가지 중요한 목표를 공유한다는 사실을 확인할 수 있었다. 그것은 바로 사회의 안정과 번영을 위해 위험 요소를 최소화하면서 혁신이 확산될 수 있도록 민첩하고 신뢰할 수 있는 법과 규제 생태계를 구축하는 것이다.

자연환경 재생과 보존

제4차 산업혁명의 가장 큰 특징인 물리학, 디지털, 생물학 분야의 기술결합은 자원의 활용과 효율을 크게 높일 수 있는 다양한 기회를 제공한다. 세계경제포럼의 프로젝트 메인스트림Project MainStream은 순환경제로의 전환을 촉진하기 위한 이니셔티브다. 프로젝트 메인스트림이 보여준 청사진은 단지 개인과 조직, 정부가 자연계에 미치는 영향력을 줄이는 것뿐만 아니라, 과학기술과 지능적 시스템 디자인의 활용을 통해 자연환경을 회복하고 재생시킬 수 있는 위대한 잠재력까지 포함하고 있다.

기존의 기업과 소비자 간의 전통적인 방식, 다시 말해 손쉽게 취할 수 있는 자원을 대량으로 사용해 수취-제조-처분(take-make-dispose)하는 자원 활용 방식에서 벗어나, 자원과 에너지, 노동력 그리고 이제는 정보까지 효율적인 흐름을 통해 상호작용하며 복원 및 재생이 가능하고 생산성이 더욱 높아진 경제 시스템을 계획적으로 도모하는 새로운 산업 모델로 이동하는 것이 프로젝트 메인스트림의 핵심이다.

이를 실현하기 위한 네 가지 방법이 있다. 첫째, 사물인터넷과 스마트 자산 덕분에 자원과 에너지의 흐름을 추적할 수 있게 되었고, 이를 통해 가치사슬 전반에 걸쳐 새롭게 효율성을 높일 수 있게 되었다. 시스코Cisco 사에 따르면 앞으로 10년 간 사물인터넷을 통해 실현될 경제수익이 14조 4,000억 달러에 이를 전망이다. 이 가운데 2조 7,000억 달러는 공급 체인과 물류 유통 과정을 개선하고 낭비를 없애 발생되는 수익이다. 사물인터넷의 활용으로 가능해진 솔루션을 통해 2020년까지 온실가스 배출을 91억 톤 줄일 수 있게 되었다. 이는 2020년 온실가스 배출량 감축 목표인 16.5퍼센트에 해당된다.[40]

둘째, 자산이 디지털로 전환되면서 가능해진 정보의 민주화와 투명성은 국민에게 기업과 국가에 책임을 물을 수 있는 권력을 준다. 블록체인과 같은 기술은 정보의 신뢰성을 높여줄 것이다. 예를 들면, 위성에서 확보한 삼림 파괴에 대한 데이터를 안전한 포맷으로 저장, 인증하여 토지 소유자에게 보다 적확한 책임을 물을 수 있게 된다.

셋째로, 정보의 흐름과 투명성이 시민의 행동양식을 대대적으로 변화시킬 수 있다. 이는 지속가능한 순환 시스템을 위한 새로운 기업 및 사회 규범 내에서 가장 저항이 적은 방법이기 때문이다. 대중적으로 확산시킬 수 있는 가장 쉬운 방법이기도 하다. 그간 경제학과 심리학의 생산적 융합의 산물로 인간이 세계를 인식하는 방식, 인간의 행동과 그것을 정당화하는 방식에 대한 설명과 이해가 상당히 깊어졌다. 정부와 기업, 대학에서 대규모로 진행된 무작위 통제실험randomized control trials을 통해서도 경제학과 심리학의 생산적인 융합이 가능하다는 사실이 입증되었다. 오파워OPower 기업의 경우, 전기 사용내역서의 동료비교peer comparison를 통해 사람들이 전기 소비를 줄이도록 유도해 비용 절감과 환경보호라는 두 마리 토끼를 잡았다.

넷째로, 새로운 사업과 조직 모델의 등장은 혁신적인 방법으로 가치를 창출하고 공유하는 것을 가능하게 만들었다. 또한 이를 통해 경제와 사회에 혜택을 주는 동시에 자연에도 혜택을 제공하도록 전체 시스템을 변화시켰다. 자율주행자동차, 공유경제, 임대형 비즈니스 모델을 통해 자산 활용이 눈에 띄게 증가했을 뿐 아니라, 적절한 시기에 자원을 확보하고 재사용하며 '업사이클upcycle(재활용품에 디자인 및 활용도를 높인 제품으로 재탄생시키는 일-옮긴이 주)'하는 작업을 훨씬 쉽게 만들었다.

제4차 산업혁명을 통해 기업은 자산과 자원의 사용주기를 연장해, 그 활용도를 높일 수 있다. 또한 추가적인 활용을 위해 재료와 에너지를 재생시키고 새로운 용도에 맞게 변형시킬 수 있는 폭포형 사용cascades을 만들어 낸다. 이 과정에서 배출물과 소요 자원의 양을 줄이는 것이 가능하다. 이 혁신적 산업 시스템 내에서 이산화탄소는 단순히 온실가스 오염물질에서 자산으로 변모하고, 비용이 들고 오염물질 저장고의 역할에 중점을 둔 탄소 포집 및 저장의 경제학은 수익성 있는 탄소 포집과 이용 생산 시설로 변화할 것이다. 더욱 중요한 것은, 이를 통해 기업과 정부, 시민사회가 자연자본natural capital의 재생을 위한 전략에 더욱 관심을 갖고 참여할 수 있게 된다. 인간이 자연자본을 이성적이고 재생적 방법으로 활용하면 지속가능한 생산과 소비로 나아갈 수 있고, 환경이 위협받는 지역에서조차 생물의 다양성을 회복하는 데 효과적인 솔루션을 제공할 수 있다.

정부의 역할

the fourth industrial revolution

제4차 산업혁명이 주도하는 파괴적 혁신이 일으키는 변화 때문에 공공 기관과 조직의 운영 방식이 새롭게 바뀌고 있다. 특히 이 파괴적 변화는 정부가 지방, 국가, 그리고 지역적 차원에서 우선적으로 변모해 시민사회 및 민간 부문과의 새로운 협력 방식을 찾아 적응할 것을 강요하고 있다. 파괴적 변화는 또한 국가와 정부 간의 관계 설정 방식에도 영향을 미치고 있다.

이번 장에서는 정치인과 그들의 역할에 대한 인식을 변화시킬 지속적인 힘의 존재를 인정하면서, 제4차 산업혁명을 이끌어갈 정부가 해야 할 역할에 대해 이야기하고자 한다. 시민사회의 힘이 커지고 인구의 분열과 양극화가 심화됨에 따라 통치는 더 어려워지고 정부의 효율성마저 떨어지는 정치 체제가 나타날 수 있다. 새로운 과학, 기술, 경제 및 사회 체제로 전환하는 데 정부가 핵심 파트너 역할을 해야 하는 시점에 이러한 현상이 나타나고 있다는 사실이 특히 중요하다.

제4차 산업혁명이 정부에 미칠 영향을 가늠해볼 때, 가장 먼저 떠오르는 것은 더 잘 통치하기 위해 디지털 기술을 활용한다는 사실이다. 정부는 더욱 강력하고 혁신적인 웹 기술의 활용을 통해 행정의 조직과 기능을 현대화한 전자정부E-governance의 확대에서부터 투명성 및 책임성 향상 그리고 국민과의 관계 강화에 이르기까지 전반적인 업무 능력을 개선할 수 있다. 이제 권력이 국가에서 비국가 세력non-state actors으로, 저명한 기관에서 느슨한 네트워크로 이동하고 있다는 사실을 정부는 수용해야 한다. 새로운 기술과 사회적 집단, 그리고 이들 사이의 상호작용으로 인해 실제로 누구나 영향력을 발휘할 수 있게 되었다. 불과 몇 년 전에는 상상할 수도 없었던 일이다.

권력이 점차 한시적인 것이 될수록 가장 큰 영향을 받는 것은 바로 정부다. 모이제스 나임Moisés Naím은 이를 두고 "21세기에는 권력을 얻기는 더 쉬워지고, 발휘하기는 어려워졌으며 잃기는 매우 쉬워졌다"라고 말한다.[41] 오늘날 과거에 비해 통치가 어려워진 것은 누구나 인정하는 사실이다. 몇몇 예외를 제외하고는 정책입안자들이 변화를 주도하기 어려워졌다. 정책입안자들의 역할이 초국가적 단체와 지방 및 지역단체는 물론 심지어 개인까지 포함한 경쟁세력의 등장으로 제재를 받기 때문이다. 미시권력micro-power은 이제 국가 정부와 같은 거시권력macro-power을 제재할 수 있게 되었다.

디지털 시대에는 공권력을 보호하던 장벽이 약해지고 더 많은 정보를 갖게 된 통치의 대상 혹은 국민의 정부에 대한 기대치가 높아져 정부의 효율성이 낮아졌다. 국가가 아닌 존재가 거대한 국가에 대항한 위키리크스 사태는 새로운 권력 패러다임의 비대칭성과 흔히 수반되는 신뢰의 약화 문제를 잘 보여주고 있다.

제4차 산업혁명이 정부에 미칠 다양한 영향에 대한 주제만 서술해도 책 한 권 분량을 채울 수 있을 정도다. 그러나 핵심은, 기술로 인해 시민사회가 목소리를 낼 기회가 많아지고 협력할 수 있게 되어, 어쩌면 시민사회 정부의 감시에서 벗어날 수 있게 될지도 모른다는 사실이다. '어쩌면'이라고 단서를 단 이유는 새로운 감시기술이 발달하여 공권력이 더욱 막강해짐에 따라 오히려 이와 반대되는 상황이 벌어질 수도 있기 때문이다.

병렬적 구조 혹은 개체가 이데올로기의 전파를 가능하게 하고 추종자를 모아 공식적인 정부 시스템에 대항하거나 혹은 거대한 세력을 규합할 수도 있다. 새로운 기술로 인해 경쟁세력은 성장하고 권력이 재분배 및 분산되면 정책 집행이라는 정부의 중심 역할이 점차 약해지거나 달라질 수밖에 없다. 이제 정부는 다양해진 서비스를 가장 효과적이고 개별화된 방식으로 시민사회에 제공하는 능력에 의해 평가받는 공공 서비스센터로 그 역할이 바뀌게 될 것이다.

근본적으로 제4차 산업혁명에 대한 적응력이 정부의 생존 여부를 결정하는 중요한 변수가 될 것이다. 정부가 기하급수적으로 일어나는 파괴적 혁신에 의한 변화를 포용한다면, 그리고 경쟁 우위를 유지하는 데 도움이 되는 수준으로 정부 구조의 투명성과 효율성을 높일 수 있다면, 정부의 존재는 지속될 것이다. 그러나 이 과정에서 정부는 새로운 경쟁 권력 구조들이 존재하는 환경 속에서 더욱 작고 효율적인 조직으로 완벽히 변신해야 할 것이다.

이전의 산업혁명 때와 마찬가지로 규제가 새로운 기술의 수용과 확산을 결정하는 중요한 역할을 할 가능성이 크다. 그러나 정부는 규정을 만들고, 개편하고, 실행하는 데 새로운 방식으로 접근해야 한다. '구시대'에는 의사결정자들이 특정 쟁점을 연구하고, 필요한 대응 혹은 적절한 규제 체제를 구축하는 데 충분한 시간이 있었다. 모든 과정이 선형적이고 기계적인 상의하달식 접근법이었다. 하지만 이제는 다양한 이유로 이러한 방식이 불가능해졌다.

제4차 산업혁명으로 인한 급속한 변화로 인해 규제 당국은 한 번도 겪지 못했던 수준의 문제에 직면했다. 오늘날 정치, 입법, 규제 당국은 기술 변화의 속도와 그것이 시사하는 바의 의미에 대처하지 못한 결과, 중요한 사건들에 의해 난관에 봉착한 상태다. 24시간 진행되는 뉴스 시스템은 사안에 대한 견해를 밝히거나 즉각적인 행동을 요구하기 때문에 리더가 원칙에 입각해 정확히 파악된 신중한 대답을 준비할 시간적 여유가 줄어들고 있다. 특히 거의 200개에 달하는 독립국가와 1,000개의 문화, 언어를 포괄하는 글로벌 시스템상에서 중대한 문제에 대한 통제력을 상실한다는 것은 대단히 위험한 일이다.

이런 상황에서 정책입안자들과 규제 기관이 소비자와 공공의 이익을 함께 지키는 동시에 혁신을 억압하지 않으면서 기술 발전을 지원할 수 있는 방법은 무엇일까? 답은 민첩한 통치 시스템의 구축이다.
([박스 3] '파괴의 시대에 필요한 민첩한 통치의 원칙', pp.118~120 참고)

지금 우리가 경험하는 기술 발전의 대다수는 현재의 규제 프레임
워크 내에서는 제대로 반영되어 있지 않다. 심지어는 정부가 국민과
맺은 사회계약을 파괴할 수도 있다. 민첩한 통치란, 규제 기관이 규제
대상을 정확히 이해하기 위해 스스로를 개편해 지속적으로 급변하는
새로운 환경에 적응하는 방법을 찾는 것이다. 세계적, 지역적, 산업적
변화를 꾀하기 위해서는 정부와 규제 기관이 기업 및 시민사회와 긴
밀히 협력해야 한다.

민첩한 통치는 규제의 불확실성을 의미하는 것이 아니며, 정책입안
자들이 쉬지 않고 바쁘게 활동해야 함을 뜻하는 것 역시 아니다. 구
식의 안정된 체제와 최신의 불안정한 체제라는 두 종류의 유쾌하지
않은 입법 체제 사이에서 고민하고 있다고 생각하는 오류를 범해서
는 안 될 것이다. 제4차 산업혁명 시대에 필요한 것은 많은 정책을 더
욱 빨리 제정하는 것이 아니라, 좀 더 회복력 있는 체제를 생산할 수
있는 규제와 법 제정의 생태계 조성이다. 이러한 접근 방식은 중요한
결정에 대해 조용히 생각해볼 수 있는 여유를 확보함으로써 강화될
수 있다. 이런 신중함에 혁신이 등장할 수 있도록 최대한의 여유(공
간)를 만들 수 있는 선견지명을 융합해 현재의 상태보다 더욱 생산적
인 결과로 이어질 수 있도록 노력하는 것이 우리가 해야 할 일이다.

정리하면, 필수적인 공공 기능과 사회적 소통, 개인정보가 디지털
플랫폼으로 편입되고 있는 요즘 시대에는, 정부가 업계, 시민사회와

협력해 정의, 경쟁력, 공정성, 포용적 지적재산, 안전 그리고 신뢰를 유지하기 위한 새로운 규정 그리고 견제와 균형을 만들어나갈 필요가 있다는 것이다.

두 가지 개념적 접근법이 있다. 하나는 명백하게 금지된 것을 뺀 모든 것을 허용하는 것이다. 둘째는 명백하게 허용된 일이 아닌 것은 모두 금지하는 방법이다. 정부는 이 두 가지 접근법을 적절하게 조합해야 한다. 인간이 모든 결정의 중심에 있음을 명확히 하면서 협력하고 적응해나가야 한다. 이는 정부가 겪어야 하는 불가피한 도전이다. 제4차 산업혁명에서보다 정부의 역할이 더 중요했던 적이 없었다. 정부는 위험성을 최소화하는 동시에 혁신이 번창할 수 있도록 노력해야 한다.

그러기 위해서 정부는 국민과 더욱 효율적으로 소통해야 하고 배움과 적응을 위한 정책 실험을 집행해야 한다. 이는 다시 말해 정부와 국민 모두 서로의 역할을 재정립하고, 양측이 상호작용하는 방법에 대해 재고하는 동시에 서로를 향한 기대치를 높여나가고, 다양한 관점을 포용하고 변화의 도중에 발생하는 실패와 실수를 허용할 줄 알아야 한다는 것이다.

파괴의 시대에 필요한 민첩한 통치의 원칙

▪ 노동시장

디지털 기술과 글로벌 커뮤니케이션 인프라로 인해 일과 임금에 대한 전통적 관점이 유의미하게 바뀌었고, 이 때문에 극도로 유연하고 본질적으로 임시적인 새로운 형태의 일자리들이 등장했다. (소위 온디맨드 경제라고 부른다) 새로운 형태의 일자리가 등장함으로써 사람들은 업무 시간을 탄력적으로 조정할 수 있게 되었고, 노동시장에 완전히 새로운 혁신의 바람을 일으킬 수도 있다. 그러나 한편으로는 더 이상 고용안정성과 장기근속이라는 혜택이 주어지지 않으며, 기본적으로 모든 노동자가 계약직이 되는 온디맨드 경제하에서는 줄어든 노동자 보호에 대한 우려를 낳게 된다.

▪ 돈과 조세

임시 고용직에게는 노동 암시장을 통해 일자리를 구하는 일이 더욱 쉽고 매력적이기 때문에 온디맨드 경제에서 세금 징수는 심각한 문제로 떠오르고 있다. 디지털로 전환된 지급 방식으로 소액 거래까지 투명하게 운영되고 있으나, 오늘날 등장하고 있는 새로운 방식의 지급 분산화 시스템이 공공 당국과 민간 관계자들의 거래 출처와 목적지 추적을 상당히 방해할 수도 있다.

■ 책임과 보호

오랫동안 일부 고위험 직업군은 높은 수준의 (국가자격)시험을 요구해왔다. 때문에 적절한 수준의 안전과 소비자 보호를 위해 자격증을 가진 전문가에 의해서만 행해져야 한다는 근거에 기반해 정부의 승인을 얻어 독점할 수 있는 (택시 업계와 의사 등) 직업이 정당화돼왔다. 그러나 기술의 진보로 사람들이 P2P 방식으로 서로 교류하고, 이를 관리하고 중재하는 새로운 형태의 중개자까지 등장하게 되면서 정부 승인 독점 직군 역시 파괴되고 있다.

■ 보안과 프라이버시

인터넷 네트워크와 세계 경제의 초국가적 특성에도 불구하고 데이터에 대한 권리와 보호 규제는 아직도 심각하게 단편적이다. 유럽에서는 개인정보 수집과 처리, 재판매에 대한 규정이 명확하지만 그 외 다른 사법 관할권의 경우 법규가 약하거나 아예 없는 경우가 많다. 대규모 온라인 운영자는 규모가 큰 데이터 세트의 집적을 통해 실제 사용자가 (함축적으로 혹은 명확하게) 제공하는 정보보다 더 많은 정보를 유추할 수 있다. 빅 데이터 분석과 추론기술inference techniques을 통해 얻은 사용자에 대한 자료는 유저와 소비자 모두에게 이득이 될 수 있는 새롭고 심화된 개인맞춤형 서비스 제공 방식을 가능하게 한다. 하지만 사용자의 프라이버시와 개인의 자율성에 관한 중요한 문제를 야기하기도 한다. 사이버 범죄와 신분 도용에 대한 우려가 높아진 가운데, 많은 사법 관할구역에서는 감시와 자유 사이에서 감시를 늘리는 쪽으로 급격히 기울고 있다. 이런 내용은 미국 국가안보 운영에 관한 문서를 유출했던 미국 정보분석가 에드워드 스노든Edward Snowden의 폭로로 드러났다.

■ **인터넷의 효용성과 모두를 위한 인터넷** Availability and inclusion

세계 경제가 디지털 세상으로 진입하면서 신뢰할 만한 인터넷 기반시설의 유효성이 경제성장의 중요한 전제조건이 되었다. 정부는 이런 기술 진보가 불러올 잠재력에 대해 제대로 인식해야 한다. 정부의 내부 운영을 극대화하기 위해 기술을 수용하는 것뿐 아니라, 전 세계적으로 연결된 정보사회를 향해 나아가기 위해 기술의 폭넓은 배치와 활용을 장려하고 지원해야 한다. 디지털 소외(혹은 디지털 격차)는 그 어느 때보다 시급히 해결해야 할 사안이 되었다. 적절한 인터넷 접근성이 없거나, 연결된 기기에 대한 접근성이 없거나, 혹은 기기 사용법에 대한 이해 부족으로 제대로 인터넷을 활용할 수 없는 사람은 디지털 경제 및 새로운 형태의 시민 참여가 점점 어려워지기 때문이다.

■ **권력의 비대칭**

오늘날 정보사회에서 기술을 활용하는 방법을 안다는 것은 곧 기술을 활용할 수 있는 권력을 가졌다는 것을 의미한다. 이런 상황에서 정보의 불균형은 곧 권력의 불균형으로 이어질 수 있다. (기술·기기의) 최고 접근권 root access 을 가지고 있는 단체는 전능한 힘을 가지고 있다고 봐도 될 정도다. 그러나 현대 기술의 잠재력과 근본적인 세부 조항을 완벽히 이해하기에는 복잡하고 어렵기 때문에, 기술을 잘 이해하고 통제하는 전문가와 기술을 이해하지 못하고 수동적으로 사용하는 비전문가 사이의 불평등은 더욱 커질 수밖에 없다.

출처: '파괴의 시대에 필요한 민첩한 통치의 원칙(A call for Agile Governance Principles in an Age of Disruption)', 소프트웨어와 사회에 관한 글로벌어젠다카운슬, 세계경제포럼, 2015년 11월

세계 체제의 개편

the fourth industrial revolution

디지털 기술에는 국경이 없으므로 기술이 지리적 영향력에 따라 달라지는지, 아니면 기술에 따라 지리적 영향력이 달라지는지에 대한 궁금증이 발생한다. 제4차 산업혁명에서 국가와 지역, 도시의 역할을 규정하는 것은 무엇인가? 이전의 산업혁명에서처럼 서유럽과 미국이 변화를 주도하게 될까? 어떤 나라가 급격히 발전할 것인가? 사회 발전을 위해 더 나은 그리고 더 효과적인 협력이 있을까, 아니면 국가 내에서뿐만 아니라 국가 간 분열이 더욱 늘어날 것인가? 상품과 서비스가 곳곳에서 생산되고, 저숙련, 저임금 일자리의 대부분이 자동화로 대체되는 세상에서 금전적 여유가 있는 사람들이 탄탄한 제도와 삶의 질이 입증된 국가로 몰리는 것은 아닐까?

혁신을 허용하는 규정

이 질문에 답하기 위해서는 한 가지 명확하고 중요한 사항이 전제되어야 한다. 새로운 디지털 경제의 주요 부문과 분야에서 (5세대 이동통신, 드론의 상용화, 사물인터넷, 디지털 헬스케어, 첨단 제조업 등) 앞으로 우선시될 국제 규범을 구축하는 데 성공한 국가와 지역은 상당한 경제·금융 이익을 거두게 된다는 점이다. 이와 대조적으로 자국 생산자들에게 유리한 국가 규범과 규정을 촉진하고 국외 경쟁자의 진입을 막은 채 자국 기업이 외국의 기술을 사용하는 데 지불해야 하는 로열티를 감축하는 국가의 경우, 이 새로운 디지털 경제에서 뒤처질 수 있다는 사실을 각오해야 한다.[42]

국가 및 지역 차원의 입법과 규정 준수에 대한 폭넓은 쟁점은 혁신적이고 파괴적인 기업이 활동하는 생태계 구축에 중요한 역할을 하게 될 것이다. 이 때문에 국가 간 분쟁이 발생할 수도 있다. 2015년 10월, 미국과 유럽연합European Union(이하 EU) 간 개인정보 전송 협정인 세이프 하버 협정Safe-Harbour agreement과 관련한 유럽사법재판소ECJ, European Court of Justice의 무효 판결이 좋은 예시다. 유럽에서 사업을 하는 기업이 법규를 준수하기 위해 높은 비용을 지불해야 하는 의무를 짊어지게 되면서, 대서양을 사이에 둔 두 대륙 간 논쟁의 중심이 되었다.

세이프 하버 협정 무효화는 경쟁력의 주요 동력인 혁신 생태계의 중요성이 증가하고 있음을 강조하는 사례다. 미래를 내다봤을 때 고비용 국가와 저비용 국가 혹은 신흥 시장과 성숙한 시장 간의 구분은 그 중요성이 점점 약해질 것이다. 중요한 것은 '혁신할 수 있는 경제인가'이다.

예를 들어, 오늘날 북아메리카 기업들은 어떤 잣대로 봐도 세계에서 가장 혁신적이다. 최고의 인재를 불러들이고, 가장 많은 특허를 내며, 세계 대부분의 벤처캐피탈을 지배하고, 상장된 기업의 경우 높은 기업 가치를 누린다. 북아메리카의 경우 에너지 생산 분야, 첨단 디지털 제조, 생명과학, 정보통신기술 이 네 가지의 시너지 효과를 내는 기술혁명의 최첨단을 달리고 있다는 사실이 이 점을 더욱 부각시키고 있다.

가장 혁신적인 몇몇 경제를 포함한 북아메리카와 EU가 세계를 주도하는 가운데, 다른 나라들도 빠른 속도로 뒤따르고 있다. 예를 들면, 혁신과 서비스에 중점을 둔 경제로 이동하고 있는 중국의 경우 2006년에 EU의 35퍼센트였던 혁신 실적이 2015년에는 49퍼센트 수준까지 상승했다.[43] 중국의 발전이 상대적으로 낮은 수준에서 시작했다는 점을 고려한다 해도 글로벌 생산 내 고부가가치 분야에 지속적으로 진입하고 있으며, 경쟁력을 높이기 위해 규모의 경제를 이용하고 있다.[44]

전반적으로 위의 사례들을 통해 기술 혁신이 주는 기회를 최대한 활용할 수 있을지의 여부는 궁극적으로 해당 국가 혹은 지역의 정책 결정에 달려 있음을 보여준다.

혁신 중심지로서의 지역과 도시

몇몇 나라와 지역, 특히 빠르게 성장하고 있는 시장과 개발도상국에 자동화가 미칠 영향에 대해 특별히 우려된다. 노동 집약적 재화와 서비스 생산으로 경쟁 우위를 지킬 수 있었던 나라들의 경우, 자동화에 의해 경쟁 우위가 갑작스럽게 약화될 수 있기 때문이다. 현재 번영을 누리고 있는 나라와 지역의 경제가 자동화 때문에 완전히 무너질 수 있다.

도시(혁신의 생태계)가 지속적으로 자양분을 받지 못한다면, 그 도시가 속해 있는 국가와 지역도 번창할 수 없다. 과거 역사에 비춰봐도 도시는 항상 경제성장과 번영, 사회 발전을 주도하는 중심 역할을 해왔고, 국가와 지역의 미래 경쟁력에 반드시 필요한 요소다. 오늘날 세계 인구의 절반 이상이 중간 규모의 도시와 대도시에 거주하고 있고, 세계적으로 도시 거주 인구의 수는 지속적으로 늘고 있다. 혁신과 교육에서 사회기반시설과 행정에 이르기까지 국가와 지역 경쟁력에 영향을 미치는 수많은 요소들은 바로 도시의 권한 아래 있다.

도시가 민첩한 정책 체제의 지원을 받는 기술을 수용하고 배치하는 속도와 범위에 인재를 불러들일 수 있는 경쟁력의 유무가 달려 있다. 초고속 데이터 통신망broadband을 보유하고 운송수단과 에너지 소비, 폐기물 재활용 등에 디지털 기술을 적용한 도시는 더욱 효율적이고 살기 적합한 장소가 되어 다른 도시들보다 더욱 매력적으로 변모한다.

따라서 전 세계 도시와 국가가 제4차 산업혁명에 상당한 영향력을 행사하는 정보통신기술에 대한 접근성과 활용에 초점을 맞추는 것이 매우 중요하다. 안타깝게도 세계경제포럼은 〈2015년 글로벌 정보통신

기술 보고서Global Information Technology Report 2015〉를 통해 "세계 인구의 절반은 모바일폰을 소유하고 있지 않고, 4억 5,000만 명은 이동통신 신호가 잡히지 않는 곳에서 생활하고 있다. 저소득 국가의 경우 인구의 90퍼센트가, 전 세계적으로는 60퍼센트 이상이 인터넷에 접속할 수 없다. 마지막으로 우리가 사용하는 대부분의 모바일폰은 구세대 모델"이라고 발표했다.[45] 정보통신기술은 많은 사람이 생각하는 것만큼 널리 퍼져 있거나 빠르게 확산되어 있지 않다.

따라서 정부는 협력과 효율, 기업가 정신이라는 새로운 모델을 통한 경제적 기회를 창출하고 공동번영을 이루는 데 필요한 도시와 국가의 기본 사회기반시설을 구축하기 위해 국가의 각 발전 단계에서 정보 격차를 줄이는 데 최선을 다해야 한다.

세계경제포럼의 '데이터 기반 개발Data-Driven Development' 연구는 이런 기회를 잡는 데 중요한 것이 단지 디지털 기반시설에 대한 접근성만의 문제가 아니라고 강조한다. 특히 대부분의 개발도상국가가 겪고 있는 '데이터 부족data deficit' 현상은 데이터의 생성, 수집, 전송, 활용 과정이 제한될 때 발생하는 것으로, 이 문제를 다루는 것도 매우 중요하다. 도시와 국가가 데이터의 존재와 허용 가능성, 거버넌스와 유용성이라는 네 가지 격차를 줄이는 것이 중요하다. 왜냐하면 이것은 전염병 확산 추적, 자연재해에 대처하기, 극빈층의 공공 및 금융서비스 제공에 대한 접근성 확대, 그리고 취약계층의 인구이동 패턴 분석 등 도시와 국가의 개발에 필요한 수많은 추가적 역량을 제공한다.[46]

국가와 지역, 도시는 단순히 규제 환경을 바꾸는 것 이상의 일을 할 수 있다. 이미 입지를 다진 기업들은 제4차 산업혁명이 가져올 기회를 활용할 수 있도록 준비시키고, 혁신적인 스타트업 기업과 투자자들을 유치하고 독려하기 위해 국가와 지역, 도시가 디지털 변환에 도약의 발판이 되도록 적극적으로 투자해야 한다.

역동적인 신생 기업과 기반이 다져진 기업이 서로 간에 그리고 시민사회 및 대학과 연계한다면, 도시는 지역 및 글로벌 경제에서 새로운 아이디어를 실질가치로 전환할 수 있는 실험의 장소이자 강력한 중심지가 된다.

영국의 혁신 자선단체인 네스타Nesta에 따르면 전 세계적으로 혁신 육성에 가장 효율적인 정책 환경을 확립한 도시는 뉴욕, 런던, 헬싱키, 바르셀로나, 암스테르담 이렇게 다섯 곳이다.[47] 네스타의 연구는 이들 도시가 특히 공식 정책 영역 밖에서 변화를 가져올 창의적인 방법을 찾아내고, 기본적으로 개방적이며, (관료라기보다는) 더 기업가처럼 행동하기 때문에 성공한 것이라고 보고했다. 이 세 가지 기준이 적용되어 세계적으로 최고 수준의 성공 사례가 탄생할 수 있었고, 이 기준들은 신흥시장과 개발도상국에도 적용될 수 있다. 콜롬비아의 메데인Medellin 시는 이동성과 환경적 지속가능성에 대한 혁신적 접근을 인정받아 최종 결선 진출 도시였던 뉴욕과 텔아비브Tel Aviv를 제치고 2013년 올해의 도시상City of the Year을 수상하는 영광을 안았다.[48]

2015년 10월, 세계경제포럼의 도시의 미래에 관한 글로벌어젠다 카운슬에서는 다양한 문제에 대한 혁신적 솔루션을 추구한 전 세계 도시의 사례를 담은 보고서를 발표했다. ([박스 4] '도시의 혁신',

pp.128~130 참고)[49] 이 보고서는 (네트워크 기반) 스마트 도시들과 국가 그리고 지역 클러스터가 연결된 글로벌 네트워크가 주도하는 제4차 산업혁명의 특이성에 대해 설명하고, 이들 도시, 국가 그리고 지역 클러스터가 제4차 산업혁명이 주는 기회를 총체적이고 통합적인 관점에서 상의하달식top down과 상향식bottom up 양방향으로 이해하고 활용하고 있음을 보여준다.

도시의 혁신

■ 디지털로 공간의 용도 재편

건물을 영화관, 체육관, 소셜 센터, 나이트클럽 등 다양한 용도로 활용할 수 있게 되어 도시 안에서 차지하는 공간을 최소화할 수 있다. 이런 특징으로 인해 도시는 좁은 장소에서 많은 것을 얻어 가는 공간이 된다.

■ 워터넷Waternet

수도 파이프라인과 인터넷 기술의 결합으로, 수도 시설에 센서를 장착해 흐름을 관찰하고 전체 사이클을 관리할 수 있어 사람과 생태계에 지속적으로 물을 공급할 수 있다.

■ 소셜 네트워크를 통한 나무 입양하기

연구에 따르면 도시 녹지가 10퍼센트만 증가해도 기후변화로 인한 기온의 상승을 보완할 수 있다. 식물은 단파복사shortwave radiation(短波輻射)를 막아줄 뿐 아니라, 습도를 높이고 대기의 열을 식히며 미기후microclimates(微氣候)를 더욱 쾌적한 상태로 조절해준다.

■ 차세대 운송수단

센서와 광학, 임베디드embedded 프로세서의 발달로 개선된 보행자와 비동력

non-motorized 운송수단의 안전성 덕분에 대중교통 이용이 더 늘어날 것이다. 그에 따라 교통 혼잡과 환경오염이 줄어들 것이며, 사람들의 건강 증진에 도움이 되고, 통근에 소요되는 시간은 더욱 빨라지며 예측가능해지고, 교통비는 더 저렴해질 것이다.

■ 열병합발전, 열병합난방, 열병합냉방

열병합발전co-generation 기계 시스템을 통해 방출되는 배기열 포집을 활용하며 에너지 효율을 굉장한 수치로 높일 수 있다. 트라이제너레이션Trigeneration(삼중열병합발전) 시스템은 흡수냉동 기술을 통해 건물을 냉난방하는 방식으로 열을 활용한다. 예를 들면, 엄청난 수의 컴퓨터가 있는 사무 단지 건물을 컴퓨터에서 나오는 열로 난방하는 방식이다.

■ 온디맨드 이동성Mobility-on-demand

디지털화로 인해 우리는 도시의 이동(교통) 인프라에 대한 실시간 정보와 유례없는 모니터링을 할 수 있게 되어 차량 교통 효율성을 높였다. 이런 상황은 역동적 최적화 알고리즘을 통해 사용하지 않는 차량을 활용할 수 있는 새로운 가능성을 열었다.

■ 지능형 가로등Intelligent street poles

차세대 LED 가로등은 날씨와 오염 정도, 지진활동, 차량과 인간의 이동, 소음, 대기오염 등의 데이터를 수집하는 여러 센서 기술의 플랫폼 역할을 할 수 있다. 지능형 가로등을 네트워크로 연결해 도시에서 일어나는 일을 실시간으로

확인할 수 있고, 공공 안전이나 무료 주차 공간을 찾아내는 등 혁신적 솔루션

을 제공할 수도 있다.

출처: '도시 혁신 상위 10(Top Ten Urban Innovations)',
도시의 미래에 관한 글로벌어젠다카운슬, 세계경제포럼, 2015년 10월

국제안보 문제

the fourth industrial revolution

제4차 산업혁명은 국가 간 관계와 국제안보의 본질에 근본적인 영향을 미칠 것이다. 여기에서 이 주제에 대해 좀 더 특별히 다루고자 하는 이유는 제4차 산업혁명과 연계된 모든 중대한 변화들 가운데 안보는 정부 및 방위산업 분야 외에는 공공 영역에서 충분한 논의가 이루어지지 않는다는 생각이 들기 때문이다.

초연결사회에서 증가하는 불평등의 중대한 위험은 분열과 분리, 사회불안을 심화시키며 폭력적 극단주의가 발생하는 상황을 만들 수 있다는 사실이다. 제4차 산업혁명은 권력 이동에 영향을 끼칠 뿐 아니라 안보 위협의 성격까지 바꿀 것이다. 이 두 가지 변화 모두 지리적으로 일어나고 있고, 국가에서 비국가 활동세력으로의 이동이 발생하고 있다. 이미 지정학적 상황을 점점 더 복잡하게 만드는 비국가 무장세력의 등장으로 국제안보 위협을 둘러싼 공동의 협력 플랫폼을 구축하는 것이 매우 중요해졌으나, 그만큼 달성하기 어려운 사안이기도 하다.

연결성, 분열과 사회적 불안

우리가 살고 있는 초연결사회에서는 정보와 아이디어, 사람이 그 어느 때보다 빠르게 움직이고 있다. 또한 불평등이 심화되는 세상에서 살고 있고, 이러한 불평등 현상은 앞에서 다룬 노동시장의 거대한 변화로 더욱 심각해질 것이다. 사회적으로 배제된 사람이 늘어가고, 현대사회 속에서 의미를 찾을 수 있는 신뢰할 만한 근거가 사라지며, 단순히 개인의 느낌일 수도 있고 실제일 수도 있는 엘리트 계층 및 구조에 대한 환멸이 극단주의자들의 행동을 더욱 자극하고, 기존 시스템에 대항해 폭력적 투쟁을 함께할 조직원들을 모집할 수 있게 되었다. ([박스 5] '인구이동과 제4차 산업혁명', pp.141~143 참고)

초연결성이라고 해서 당연히 더 넓은 관용이나 높은 적응성이 수반된다고 생각해서는 안 된다. 2015년, 역사적으로 최대의 난민이 발생했던 비극적인 사건에 대한 국제사회의 반응을 봐도 알 수 있다. 그러나 초연결성 덕분에 차이에 대해 더욱 수용하고 이해하는 자세를 가져야 한다는 공동의 의식이 형성되기도 한다. 이러한 공동 기반을 통해 여러 공동체가 더 이상 분열되지 않고 함께 공존할 수 있다. 우리가 만약 초연결성이 주는 순기능을 목표로 하지 않는다면, 분열은 더욱 심화될 것이다.

변화하는 갈등의 본질

제4차 산업혁명은 갈등의 성격만큼 규모에도 영향을 줄 가능성이 높다. 전쟁과 평화, 전투원과 비전투원(민간인)의 경계는 점점 불편할 정도로 흐려지게 될 것이다. 또한 전장도 국지적이면서 세계적이 된다. 다에시Da'esh 또는 아이시스ISIS라고도 부르는 단체는 원칙적으로 중동의 한정된 지역에서 활동하지만, 대체로 소셜 미디어를 통해 100개국 이상의 나라에서 전사를 모집하고 있고, 소속 테러리스트들의 공격 또한 전 세계를 대상으로 벌어지고 있다. 현대사회의 갈등은 전통적 전장기술과 과거에 비국가 무장세력과 주로 연계되던 요소가 결합된 형태로 점점 더 혼합체hybrid적 성격을 띠고 있다. 그러나 기술의 융합이 점점 예측하기 힘든 방향으로 펼쳐지고, 국가와 비국가 무장세력이 서로를 통해 학습하기 때문에 변화의 잠재적 규모와 강도는 아직 제대로 평가하기 어렵다.

이런 상황에서 생명을 위협하는 신기술은 손에 넣기도, 사용하기도 점차 쉬워지고 있으며, 제4차 산업혁명으로 인해 개인이 타인에게 점차 더 큰 규모로 해를 가할 수 있는 방법들이 다양해지고 있다. 이런 현실이 사회의 취약성을 더욱 드러내고 말았다.

그러나 모든 상황이 절망적인 것은 아니다. 기술에 대한 접근성으로 인해 전쟁에서 더욱 정교한 공격이 가능해졌고, 전투원 역시 최첨단 보호장비를 착용할 수 있으며, 바로 전장에서 필수 예비품이나 다른 부품을 3D 프린터로 직접 만들어낼 수도 있어 기술이 주는 이점 역시 많다.

사이버 전쟁

사이버 전쟁은 현 시대에 가장 심각한 위협 가운데 하나다. 사이버 공간은 이제 과거의 육지, 바다, 하늘과 같은 전쟁의 무대가 되고 있다. 확실히 단정할 수 있는 것은, 비교적 미래에 일어날 선진 세력 간의 갈등은 실제 세상에서 일어날 수도 혹은 그렇지 않을 수도 있지만, 그 갈등이 사이버 공간을 포함하는 것은 거의 확실하다. 어떤 상대도 적의 센서와 정보통신, 의사결정 능력을 파괴하거나 교란시키거나 혹은 훼손하려는 유혹에서 자유롭지 않을 것이기 때문이다.

전쟁의 문턱이 낮아질 뿐 아니라 전쟁과 평화의 구분 역시 모호해지게 될 것이다. 군사 시스템에서부터 에너지원, 전기 시설망, 보건 또는 교통관리 시설, 상수도 등의 민간기반시설에 해당하는 네트워크와 네트워크에 연결된 기기들이 해킹을 당하거나 공격받을 수 있기 때문이다. 나와 싸우고 있는 적이 누군지에 대한 경계 역시 확실하지 않게 된다. 과거와 달리 누가 우리를 해킹하는지, 우리가 해킹을 당했는지조차 알 수 없다. 방위, 군사, 그리고 국가안보 전략가들은 과거에 제한된 적대 국가에 집중했다. 하지만 이제는 해커와 테러리스트, 행동가activist, 범죄자 그리고 그 외 우리에게 위협이 될 수 있는, 무한하고 실체가 뚜렷하지 않은 적에 대해서도 경계를 강화해야 한다. 사이버 전쟁은 범죄 행위나 스파이 활동과 같은 형태에서 스틱스넷Stuxnet과 같은 파괴적인 공격까지 다양한 형태로 발생할 수 있다. 그러나 아직까지는 이런 전쟁 방식이 새롭고 상대하기 까다로운 유형이기 때문에 과소평가되거나, 제대로 파악되지 못하고 있는 실정이다.

2008년 이후 특정 국가와 기업을 지목하여 발생한 사이버 공격이 다수 있었지만, 새로운 시대의 전쟁에 대한 논의는 아직도 초기 상태에 머물러 있고, 고도로 기술적인 사안에 대해 제대로 이해하고 있는 전문가와 사이버 정책을 개발하는 사람들 사이의 격차는 점점 더 벌어지고 있다. 핵무기, 생물학 무기 그리고 화학 무기에 관한 공동규범과 비슷한 규범이 생겨날지의 여부는 아직 확인되지 않았다. 현재로서는 무엇이 공격에 해당하는지, 그에 대한 대응은 어떻게 누가 해야 하는지에 대해 합의할 분류 체계조차 없다. 이런 문제를 조금이나마 관리하기 위해서는 국경을 넘어도 되는 데이터와 그렇지 않은 데이터를 규정해야 한다. 이런 사례들은, 초연결사회에서 얻을 수 있는 긍정적 결과를 침해하지 않고 국경 간 거래를 효과적으로 통제하려면 아직 얼마나 갈 길이 먼지를 단적으로 보여준다.

자율 전쟁

군사로봇과 인공지능 기반 자동화 무기를 포함한 자율 전쟁은 '로보워robo-war'의 가능성을 열고 있다. 로보워는 미래에 발생할 전쟁을 완전히 변모시키는 역할을 할 것이다

점점 더 많은 국가 및 상업화된 세력이 광섬유 케이블을 파괴할 수 있고, 통신을 교란시킬 수 있는 위성을 쏘아올리고, 무인잠수정을 동

원할 수 있게 되면서 해저와 우주 역시 군사화될 것이라는 의견이 팽배하다. 범죄조직은 이미 경쟁상대를 감시하고 공격하기 위해 이제는 대중화된 쿼드로콥터quadrocopter 드론을 활용하고 있다. 인간의 개입 없이도 타깃을 찾아 조준하고 공격하는 '자율무기autonomous weapon'는 점점 실현 가능해지며 교전 법규에 도전하고 있다.

새로운 과학기술을 활용한 새롭고 다양한 군사무기와 군용품이 이미 쓰이고 있다.([박스 6] '신기술과 변화하는 국제안보', pp.144~146 참고) 한 예로, 삼성이 개발한 SGR(센트리 가드 로봇)-A1 로봇은 기관총 두 대와 고무탄총을 장착하고 한국 비무장지대에서 경계를 서는 업무를 맡고 있다. 아직까지는 사람이 조작하고 있는 단계지만, 로봇에 프로그램이 설치되면 스스로 타깃을 확인하여 조준, 사격할 수 있을 것이다.

지난해 영국 국방부와 BAE 시스템즈(British Aerospace Systems, 영국 최대 항공방위산업체)는 랩터Raptor라고도 불리는 타라니스Taranis 스텔스 전투기의 성공적인 비행 테스트 결과를 발표했다. 타라니스는 필요한 상황 외에는 운영자에게 거의 의존하지 않은 채 자동 이착륙을 할 수 있고, 목표 대상을 선정할 수도 있다. 이런 예시들은 얼마든지 많다.[50] 앞으로도 더욱 증가될 추세이며, 이 과정에서 지정학적 관점, 군사적 전략과 전술, 규정과 윤리적 사안이 교차하는 지점에서 민감한 문제들이 발생하게 될 것이다.

국제안보의 새로운 경계

이 책을 통해 여러 차례 강조했듯이, 새로운 기술이 최종적으로 무엇을 가능하게 할 것인지, 그리고 우리 앞에 어떤 일이 펼쳐질지에 대해 우리는 굉장히 제한된 인식만 갖고 있다. 국제 및 국가안보 분야도 상황이 다르지 않다. 우리가 생각할 수 있는 모든 혁신 기술은 긍정적으로 응용할 수 있는 반면, 어두운 이면도 있을 수 있다. 현재, 의료문제를 해결하기 위해 활용되고 있는 신경보철기술과 같은 신경과학기술은 미래에 군사적 목적으로 활용될 수도 있다. 뇌 조직을 컴퓨터 시스템과 연결해 마비환자가 로봇 팔과 다리를 움직일 수 있게 되었다. 동일한 생체공학기술이 인공 비행조종사와 군인에 적용될 수 있다. 알츠하이머 치료용으로 고안된 뇌 기기가 군인의 체내에 삽입되어 기억을 지우거나 만들어낼 수도 있다. 이를 두고 조지타운 대학교Georgetown University 의과대학 소속 신경윤리학자인 제임스 지오다노James Giordano는 "비국가 세력이 신경과학 기법이나 기술을 활용할지 안 할지는 더 이상 문제가 아닙니다. 문제는 '그들이 언제, 어떤 기술을 사용할 것인가'입니다. 뇌는 이제 전장이 될 것입니다"라고 자신의 견해를 밝혔다.[51]

이러한 수많은 혁신을 활용할 수 있게 되었지만, 때로는 이들이 규제받지 않고 있다는 사실은 더 중요한 시사점을 내포하고 있다. 과거에는 정부와 매우 수준 높은 조직에만 제한되었던 대규모 피해를 초래할 수 있는 능력이 이제는 빠르고 거대한 규모로 자유화되고 있다. 이제는 가정에 설치한 연구실에서도 3D 프린터를 활용한 무기 제조부터 유전공학까지 가능해졌고, 다양한 신기술이 구현한 파괴적 도구들을 더욱 손쉽게 만들어낼 수 있게 되었다. 이 책의 핵심 주제인 과학기술의 융합에서 나오는 예측할 수 없는 힘이 점차 수면 위로 드러나면서 기존 법적, 윤리적 체제에 도전하고 있다.

더 안전한 세상을 위하여

어떻게 하면 사람들이 신기술의 위협을 심각하게 받아들일 수 있을까? 더욱더 중요하게, 어떻게 하면 이러한 위협을 줄이기 위해 세계적 차원의 공공 부문과 민간 부문의 협력을 불러일으킬 수 있을까?

20세기 후반부에 걸쳐 핵전쟁의 공포는 상호확증파괴MAD, mutually assured destruction 체제로 전환되며 균형을 찾아 비교적 안정되었고, 핵 사용을 금기시하자는 암묵적 약속이 생겨났다.

MAD 체제가 지금껏 가능했던 이유는 제한된 독립체만이 서로를 완전히 파괴할 수 있는 힘을 지녔고, 서로 간 균형을 유지했기 때문이다. 그러나 잠재적 살상무기의 확산은 이러한 균형을 약화시킬 수 있기 때문에 1960년 후반, 핵을 보유한 국가들은 그 수를 적게 유지하기 위해 핵무기확산방지조약NPT, Treaty on the Non-Proliferation of Nuclear Weapons을 맺었다.

대부분의 사안에 대해 서로 의견이 다른 소련과 미국은, 서로가 서로에게 취약한 상태로 남는 것이 최고의 자국 보호책이라는 사실을 이해했다. 때문에 대탄도미사일조약ABMT, Anti-Ballistic Missile Treaty을 맺어 미사일로 운반되는 핵무기에 대한 방어 조치를 취할 수 있는 서로의 권리를 효과적으로 제한했다. 파괴적 힘이 대체로 비슷한 자원을 소유하고 있는 소수의 독립체로 제한되지 않고 확산된다면, MAD와 같이 단계적 확대 원칙을 금지하는 전략과 이해관계의 의미가 약화될 것이다.

제4차 산업혁명이 가져올 변화로 인한 취약성을 안정과 안보로 바꿀 수 있도록 균형 잡힌 대안을 마련할 수 있을까? 관점과 이해관계가 모두 다른 다양한 참여자들은 '모두스 비벤디modus vivendi(의견과 사상이 다른 사람·조직·국가들이 서로 다투지 않고 살아가기 위해 맺는 협정-옮긴이 주)'와 같은 타협안을 찾아내고 부정적 확산을 막을 수 있도록 서로 협력해야 한다.

이해관계자들은 혁신과 경제성장을 이끌 수 있는 연구능력을 저해하지 않는 선에서 파괴적일 수도 있는 신기술을 통제할 목적으로 자주적이면서도 다른 나라와 함께할 수 있는 규범, 윤리 기준, 메커니즘과 구속력 있는 법 체제 마련을 위해 협력해야만 한다.

물론, 국제조약은 필요하지만 이 분야 규제 당국자들이 기술의 발전 속도와 다차원적 효과로 인해 기술을 제대로 파악하지 못하고 뒤처질까 우려된다. 따라서 공동의 윤리 가이드라인을 마련하고 사회와 문화에 녹아들 수 있도록, 제4차 산업혁명이 가져올 새로운 과학기술에 적용될 윤리 기준에 대한 교육자와 개발자 간의 논의가 조속히 이루어져야 한다. 정부 관련 조직들이 규제 분야에서 뒤처지게 되면 민간 부문과 비국가 세력이 이를 주도하게 될 수도 있다.

새로운 전쟁 기술의 발전은 당연히 비교적 고립된 분야에서 일어나고 있다. 그러나 유전학을 응용한 의학 및 연구와 같은 다른 분야들이 고도의 전문 분야로 고립된 나머지, 이러한 기술이 가져올 문제점과 기회에 대해 논의하고, 숙지하고, 관리할 집단 능력이 저하될 수 있는 가능성이 우려된다.

인구이동과 제4차 산업혁명

전 세계적 인구의 이동은 중요한 현상이자 막대한 부를 견인하는 힘이기도 하다. 제4차 산업혁명은 인구이동에 어떠한 영향을 미칠 것인가? 아직 속단하기 어렵지만, 현재 추세로 유추해볼 때 인구이동은 앞으로 사회와 자본 환경에서 그 이전보다 더욱 중요한 역할을 하게 될 것이다.

■ 개인적 삶의 열망 실현

연결성이 높아짐에 따라 다른 나라에서 발생하는 일과 가능한 기회에 대한 인식 역시 높아지며 인구이동은 특히 젊은 층에게는 언젠가 실행할 삶의 선택이 되고 있다. 개개인이 갖고 있는 동기는 다양하다. 직장을 구하기 위해서일 수도, 혹은 유학을 위해, 자신을 보호하기 위해, 혹은 가족을 다시 만나기 위해서일 수도 있다. 문제에 대한 해결책을 찾기 위해 사람들은 기꺼이 국경을 넘을 준비가 되어 있다.

■ 개인의 정체성 재정립

과거 우리는 개인의 삶을 거주지와 민족, 특히 문화, 심지어 언어와 일치시키고는 했다. 온라인을 통한 관계가 등장하고 타문화의 사고방식에 점점 더 노출되기 시작하면서, 이제 정체성은 과거에 비해 쉽게 바꿀 수 있는 것이 되었다. 이제 사람들은 다양한 정체성을 지니고 관리하는 데 훨씬 더 익숙해지고 있다.

■ 가족 정체성의 재정립

역사적 이주 패턴과 저렴한 비용의 연결성 덕분에 가족의 구성이 새로 정립되고 있다. 더 이상 공간의 제약을 받지 않자 디지털 수단을 활용해 지속적으로 가족 간에 연락을 주고받으며 전 세계로 뻗어나간다. 전통적인 가족 단위는 점점 초국가적 가족 관계망으로 대체되고 있다.

■ 노동시장의 재배치

노동자의 이동은 좋든 나쁘든 자국 노동시장을 변화시킬 가능성이 있다. 개발도상국가의 노동자들은 한편으로 선진국에서 충족되지 않는 노동시장 수요를 만족시킬 만한 다양한 수준의 기술을 갖춘 인력풀이 된다. 인재의 이동은 창의력, 산업 혁신, 그리고 업무 효율 증대의 직접적인 원인이 된다. 또 다른 한편으로, 만약 국내시장에 이주노동의 투입이 효율적으로 관리되지 않는다면, 이민을 받아들이는 국가의 임금 왜곡과 사회불안을 야기할 수 있고, 이민을 보내는 나라는 귀중한 인적 자본을 잃게 된다.

디지털 혁명은 커뮤니케이션과 '이동성'의 새로운 기회를 열어 인간의 이동을 보완하고 물리적 이동을 확대했다. 제4차 산업혁명 역시 이와 비슷한 효과를 낳을 가능성이 높다. 물리학, 디지털, 생물학 기술의 결합으로 시간과 공간의 한계를 초월하게 되어 인간의 이동은 더욱 쉬워졌다. 따라서 인간의 이동을 어떻게 관리할 것인가가 제4차 산업혁명으로 발생할 중요한 문제 중 하나다. 이를 해결하기 위해서는 주권과 의무가 개인의 권리와 욕구에 조화롭게 연계될 수 있도록 하고, 국가안보와 개인의 안전

을 조화시키며, 인구의 다양성이 확대되는 만큼 사회적 화합을 유지할 수
있는 방법을 찾아 인구이동에 따른 이익을 최대한 늘릴 수 있도록 해야
한다.

출처: 이주에 대한 글로벌어젠다카운슬, 세계경제포럼

기술과 변화하는 국제안보

▪ 드론

하늘을 나는 로봇이다. 현재 미국이 드론 기술을 이끌고 있으나, 점점 세계
적으로 기술이 퍼지며 가격 역시 낮아지고 있는 추세다.

▪ 자율무기

드론 기술이 인공지능과 결합된 형태로, 인간의 조종 없이 사전에 입력된 좌
표에 따라 목표물을 선정하고 조준할 수 있다.

▪ 우주의 군사화

현재의 위성 가운데 절반 이상이 상업용이나, 위성통신 기기는 군사적으로
더욱 중요해지고 있다. 위성 시스템을 군사적으로 활용한 차세대 '극초음속 활
공 무기hypersonic glide weapon'의 등장으로, 미래 전쟁에는 우주가 주요 역할을
할 가능성이 늘어나고 있으며, 현재의 메커니즘으로는 우주 군사 활동을 규제
하기가 어렵다는 우려가 커지고 있다.

▪ 웨어러블 기기

극심한 스트레스 속 군인의 건강 증진과 전투력 향상을 이끌어낼 수 있고,
90킬로그램의 무게를 쉽게 들어 올릴 수 있는 외골격 기기가 생산되어 전투력

을 높일 수 있다.

■ 적층가공 기술 활용

전쟁터에서 필요한 교체부품을 디지털 이미지로 전송받아 현장에서 조달할 수 있는 재료를 사용해 제조할 수 있게 되며, 공급체인이 혁신적으로 변화할 것이다. 또한 입자의 크기와 폭발력을 더 정밀하게 조절할 수 있는 탄두를 개발하는 데 활용될 수 있다.

■ 재생가능에너지 사용

현장에서 전력을 발생시킬 수 있으며 공급망을 변화시키고 오지에서도 필요에 따라 일부를 만들어낼 수 있다.

■ 나노기술 활용

나노기술은 자연적으로 발생하지 않는 특성을 함유하고 있는 인공물질인 메타물질metamaterials과 지능물질smart materials의 개발로 이어지고 있다. 이러한 기술을 통해 무기의 성능을 높이고, 더욱 가벼운 이동식 무기로 만들 수 있으며, 더욱 스마트하고 정밀한 특성을 지닐 수 있게 된다. 나노기술은 최종적으로 자가복제와 증식할 수 있는 시스템을 구현할 수 있다.

■ 생물학 무기

생물학 무기의 역사는 전쟁의 역사만큼이나 오래되었으나, 생물공학, 유전학, 게놈 분야 기술의 빠른 발전으로 인해 고위험 살상무기로 사용될 수 있다.

공기로 운반되어 감염을 일으키는 바이러스, 인공적으로 조작된 슈퍼버그super bugs, 유전적으로 변형된 전염병 등 이 모든 상황들은 잠재적인 인류의 종말을 일으키는 씨앗이 될 것이다.

■ 생화학 무기

생물학 무기와 마찬가지로, 기술적 혁신으로 인해 이러한 무기를 만드는 일은 DIY 제품을 만드는 것만큼 손쉬워졌다. 또한 드론을 활용해 생화학 무기를 전달할 수 있게 되었다.

■ 소셜 미디어의 활용

디지털 채널을 통해 정보를 확산하고 선행을 주도하는 일이 가능해졌으나, 마찬가지로 악의적 콘텐츠와 선전활동이 확산되고, ISIS와 같은 극단주의 집단이 추종자를 모집하고 동원하는 데 활용되기도 한다. 특히 안정적인 사회 지원 네트워크가 없는 청소년의 경우 소셜 미디어상에서 취약한 타깃이다.

불평등과 중산층
the fourth industrial revolution

　과학 발전과 상업화, 혁신 기술의 확산은 사람들이 다양한 맥락에서 생각과 가치, 이해관계와 사회 규범을 발전시키고 교환하면서 생기는 여러 사회적 과정이다. 그렇기 때문에 신기술의 사회적 영향을 완전히 구별하기 어렵다. 여러 요소가 뒤얽혀 우리의 사회와 혁신을 구성하고 있는데, 어떤 면에서는 사회와 혁신이 수많은 요소의 협력적 산물로 발생하기 때문이다.

　대부분의 사회에서, 전통적 가치 시스템에서 얻은 자양분을 잃지 않으면서 새로운 현대적 가치를 흡수하고 받아들일 것인가는 어려운 문제일 것이다. 수많은 기본 가설을 시험대에 오르게 하는 제4차 산업혁명은 자신들의 근본적 가치를 지키고자 하는 지극히 종교적인 사회와 조금 더 세속적인 세계관을 바탕으로 형성된 신념을 가진 사회 사이에 이미 존재하는 갈등을 악화시킬 수도 있다. 결국 글로벌 협력과 안정에 대한 가장 큰 위협은 극단적이고 이념적인 동기로 폭력을 행사하는 급진 단체에서 초래할 수도 있다.

미국 서던캘리포니아 대학교University of Southern California 애넌버그 커뮤니케이션·저널리즘 대학의 통신기술과 사회 전공교수로 재직 중인 사회학자 마누엘 카스텔스Manuel Castells 박사는 "주요 기술의 변화가 일어나는 모든 순간마다 사람들과 기업, 기관들은 변화의 깊이를 체감하지만, 변화가 가져올 영향에 대해 모르기 때문에 자주 압도당한다"라고 지적했다.[52] 무지로 인해 압도당하는 것이야말로 바로 우리가 경계해야 할 일이며, 특히 현대사회를 이루는 다양한 공동체가 어떻게 형성되고 발전하며 서로 연계하는지를 감안하면 더욱 그렇다.

앞에서 논의한 경제, 기업, 지정학, 국제안보, 지역과 도시에 대한 제4차 산업혁명의 다양한 영향을 통해 새로운 기술혁명이 사회에 다중적 영향을 미치게 될 것이라는 점이 명확해졌다. 이제부터는 변화의 가장 중요한 두 가지 동력, 즉 불평등 심화 가능성이 중산층에게 어떠한 압박을 가할지, 디지털 미디어의 통합이 공동체 형성과 관계에 어떠한 영향을 미치는지에 관해 살펴보겠다.

제4차 산업혁명이 경제와 기업에 미칠 영향력에 대한 논의는 오늘날까지 불평등을 심화시키는 데 일조한 다양한 구조적 변화를 강조했다. 제4차 산업혁명이 전개되면 이러한 구조적 변화로 인해 불평등이 더욱 심화될지도 모른다. 로봇과 알고리즘이 점차 노동을 자본으로 대체하고, 투자는 (더 정확하게는 디지털 경제하에서 사업을 할 때) 자본집약성이 완화될 것이다. 다른 한편으로 노동시장은 전문적 기술이라는 제한된 범위로 더욱 편중될 것이고, 전 세계적으로 연결된 디지털 플랫폼과 시장은 소수의 '스타'들에게 지나치게 큰 보상을 주게 될 것이다.

이렇게 새로운 트렌드가 지속적으로 발생한다면, 저숙련 노동력이나 평범한 자본을 가진 사람들이 아닌, 새로운 아이디어와 비즈니스 모델, 상품과 서비스를 제공하는 등 혁신이 주도하는 생태계에 완벽히 적응할 수 있는 능력을 갖춘 사람들이 승자가 될 것이다.

이러한 역학관계로 인해 기술은 고소득 국가에서 인구 대다수의 소득이 정체되거나 심지어 줄어들게 된 주된 요인의 하나로 꼽히고 있다. 오늘날 세계는 실제로 매우 불평등하다. 크레디트 스위스Credit Suisse가 발표한 〈2015년 세계 부에 관한 보고서Global Wealth Report 2015〉에 따르면 전 세계 자산의 절반 이상이 전 세계 상위 1퍼센트 부자에게 귀속된 반면, 전 세계 인구 하위 50퍼센트의 자산을 모두 합쳐도 전 세계 부의 1퍼센트에도 못 미친다.[53]

경제협력개발기구OECD는 회원국 인구 상위 10퍼센트의 평균 소득이 하위 10퍼센트의 평균 소득의 대략 9배 수준이라고 밝혔다.[54] 게다가 대다수의 국가에서는 불평등이 심화되고 있으며, 이러한 현상은 전 소득층에 걸쳐 급속한 성장을 이루고 획기적으로 빈곤층을 줄인 나라도 예외는 아니다. 한 예로, 중국의 경우 1980년대 약 30 정도였던 지니지수Gini Index가 2010년 45로 상승했다.[55]

불평등의 증가는 단순한 경제현상이 아니라 중요한 사회문제로 이해해야 한다. 영국의 사회역학자인 리처드 윌킨슨Richard Wilkinson과 케이트 피킷Kate Pickett은 저서 《평등이 답이다The Spirit Level: Why Greater Equality Makes Societies Stronger》를 통해 불평등한 사회는 더욱 폭력적인 성향을 띠고, 수감자의 수가 더욱 많으며, 정신질환과 비만 수준 역시 훨씬 높고, 기대수명과 신뢰도가 낮다는 데이터를 제시한 바 있다. 당연한 결과로, 평균소득을 조절한 후 더욱 평등해진 사회에서는 아동복지가 좋아졌고, 스트레스와 약물 사용이 줄어들었으며, 유아 사망률 또한 낮아졌다.[56] 다른 연구자들 역시 불평등 수준이 높은 경우 차별이 심화되고 어린이와 청소년의 학업 성취도가 감소한다는 사실을 발견했다.[57]

경험적 자료는 확실성이 떨어지지만, 불평등 수준이 높아질수록 사회적 불안 역시 높아진다는 공포는 널리 퍼져 있다. 세계경제포럼은 〈2016년 세계 위험 보고서Global Risks Report 2016〉에서 소개한 29개의 세계적 위험 사안과 13개 글로벌 트렌드 가운데 소득 격차 확대, 실업 혹은 불완전 고용, 그리고 심각한 사회불안 사이에 가장 큰 상호연관성이 발생한다고 지적했다. 뒤에서 더 자세히 논의하겠지만, 연결성과 기대치가 높아진 세상에서 만약 사람들이 번영의 가능성과 삶의 의미를 조금도 찾을 수 없다고 느낀다면 굉장히 심각한 사회적 위험 요인이 발생하게 될 것이다.

오늘날에는 중산층 직업은 더 이상 그들의 삶의 수준을 보장하지 못하고, 지난 20년간 전통적으로 중산층을 결정지은 네 가지 속성(교육, 건강, 연금, 그리고 주택)의 실적이 인플레이션보다 열악했다. 미국과 영국의 학비는 교육이 사치로 간주될 만큼 높아졌다. 중산층에게 있어 기회를 제한하는 승자독식 체제의 시장경제는 사회문제를 복잡하게 만드는 민주주의에 대한 불만과 포기를 조장할 수도 있다.

권력을 얻은〔잃은〕 시민

the fourth industrial revolution

넓은 사회적 관점에서 보면 디지털화의 가장 큰 (그리고 가장 눈에 띄는) 효과는 '개인 중심me-centred' 사회, 즉 개인화의 과정이자 새로운 형태의 소속과 공동체의 출현이다. 과거와는 다르게 공간(지역공동체), 직장, 가족보다는 개인의 프로젝트와 가치, 이해관계가 공동체 소속에 대한 개념을 규정하고 있다.

제4차 산업혁명의 핵심 요소인 새로운 형태의 디지털 미디어는 사회와 공동체에 대한 우리의 개인적, 집단적 구상을 점차 주도하고 있다. 세계경제포럼의 〈디지털 미디어와 사회Digital Media and Society〉 보고서에 의하면, 디지털 미디어는 우리를 일대일, 일 대 다수라는 완전히 새로운 방식으로 연결해 시간과 거리를 초월한 인간관계를 유지할 수 있도록 해주고, 새로운 이익집단을 형성하며 사회적, 물리적으로 고립된 사람들을 자신과 생각이 비슷한 사람들과 연결한다. 높은 효용성과 낮은 비용, 그리고 지리적으로 중립적인 디지털 미디어의 특징으로 인해 사회적, 경제적, 문화적, 정치적, 종교적, 이념적 경계를 뛰어넘는 소통이 가능해진 것이다.

온라인 디지털 미디어에 대한 접근은 다수에게 상당한 이익을 창출한다. 정보 제공이라는 역할을 넘어 (예를 들어, 시리아 난민들은 이동 경로를 확인하는 것 외에도 인신매매 조직을 피하기 위해 구글맵과 페이스북을 사용한다)[58] 개인이 자신의 목소리를 내고 토론과 의사결정 과정에 참여할 수 있는 기회를 제공한다.

제4차 산업혁명이 시민에게 권력을 주었지만, 불행하게도 우리의 바람과 전혀 다르게 악용될 수도 있다. 세계경제포럼의 〈2016년 세계 위험 보고서〉에서는 이러한 현상을 '권력을 얻은(잃은) 시민(dis) empowered citizen'으로 표현하고 있다. 다시 말해, 개인과 공동체가 기술로 인해 권력을 얻는 동시에 정부와 기업, 이익집단에게서 소외되는 현상이다.([박스 7] '권력을 얻은(잃은) 시민', p.155 참고)

디지털 미디어의 민주적 힘은 비국가 세력에게도 동등한 기회를 제공한다. 최근 다에시Da'esh 및 다른 소셜 미디어에 밝은 테러조직의 등장을 봐도 알 수 있듯이, 특히 극단주의 명분을 위해 선전을 유포하고 추종자를 동원하는 등 악의적 의도를 갖고 있는 공동체 역시 디지털 미디어를 자유롭게 활용할 수 있다.

소셜 미디어 사용의 전형적 특징인 공유의 힘은 의사결정을 왜곡하고 시민사회에 리스크를 가할 수 있다는 위험이 있다. 직관에 반대되게도, 디지털 채널을 통해 미디어가 범람하면서 개인이 활용하는 뉴스 제공의 원천이 편협해지고 양극화될 수도 있다. 이를 두고 MIT 임상심리학자이자 과학기술의 사회학 교수인 셰리 터클Sherry Turkel 박사는 '침묵의 나선이론spiral of silence'이라고 칭했다. 이런 현상이 중요한 이유는 우리가 소셜 미디어를 통해 읽고, 공유하고, 보는 모든 것이 정치적, 시민적 의사결정에 영향을 미치기 때문이다.

페이스북의 '투표를 합시다get-out-the-vote' 운동의 영향을 연구한 결과, 직접적으로 증가한 투표자의 수가 6만 명에 달했고, 소셜 미디어의 파급력에 의해 간접적으로는 28만 명의 투표자가 늘어나 총 34만의 추가 투표가 이뤄졌다.[59] 이 연구를 통해 우리가 사용하는 온라인 미디어를 선정하고 홍보하는 디지털 플랫폼의 힘이 드러났다. 또한 이 연구는 온라인 기술이 전통적 시민연계(지역, 지방, 그리고 국가의 대표자 선출을 위한 투표)와 혁신적인 방법을 결합해 시민이 속한 공동체에 영향을 끼치는 의사결정 과정에 시민이 더 직접적인 영향력을 행사할 수 있는 기회를 제공한다고 밝혔다.

이번 '챕터 3'에서 소개한 모든 영향력을 통해 알 수 있는 것은, 제4차 산업혁명이 우리에게 훌륭한 기회를 제공하지만 심각한 위험성도 야기한다는 사실이다. 제4차 산업혁명의 등장으로 우리에게 주어진 가장 중요한 업무 중 하나가 공동체의 화합에 이득이 되는 것과 도전이 되는 것에 대한 더 많고 더 양호한 데이터를 어떻게 수집할 것인가를 고민하는 것이다.

권력을 얻은(잃은) 시민

권력을 얻은(잃은) 시민은 두 가지 트렌드, 즉 권력을 얻거나 잃는 현상의 상호작용에서 생겨난다. 개인은 기술의 변화로 더욱 쉽게 정보를 얻고 의사소통을 하고 공동체를 꾸리며 힘을 얻었다고 느끼기 시작했고, 시민생활에 참여하는 새로운 방법을 경험하고 있다. 이와 동시에 개인, 시민사회 그룹, 사회운동과 지역공동체는 점차 투표와 선거 등 전통적 의사결정 과정에 의미 있는 참여 기회에서 배제되었다고 느끼며, 국가와 지역 거버넌스를 주도하는 기관(제도)과 권력 집단에게 영향력을 행사하고 자신의 의견이 반영될 가능성이 없다는 사실에 스스로 권력이 없다고 느낀다.

가장 극단적으로는 정부가 기술의 결합을 활용해 정부와 기업의 활동에 투명성을 요구하고 변화를 촉구하는 시민사회와 개인 그룹을 진압하거나 탄압하려 할 수도 있는 매우 현실적인 위험이 있다. 전 세계적으로 많은 국가에서 실제로 정부가 시민사회 그룹의 독립성과 활동을 제한하기 위해 법과 정책을 마련하면서 시민사회가 목소리를 낼 수 있는 공간이 줄어들고 있다는 증거가 있다. 제4차 산업혁명의 기술은 건강하고 열린사회에 어긋나는 새로운 형태의 감시와 다양한 방법의 통제를 가능하게 한다.

출처: 〈2016년 세계 위험 보고서〉, 세계경제포럼

정체성, 도덕성, 윤리
the fourth industrial revolution

제4차 산업혁명은 우리의 행동양식뿐 아니라 정체성도 변화시킨다. 제4차 산업혁명이 개인에게 미칠 영향은 다양하다. 정체성뿐 아니라 프라이버시와 오너십에 대한 개념, 소비패턴, 일과 여가에 할애하는 시간, 경력을 개발하고 능력을 키우는 방식 등 정체성과 관련된 여러 측면에도 영향을 끼친다. 또한 우리가 사람을 만나고 관계를 쌓는 방법과 사회적 계급, 그리고 건강에까지 영향을 미칠 것이고, 우리가 생각하는 것보다 빠르게 증강인간human augmentation을 실현해 인간 존재의 본질에 대한 의문을 불러일으키게 될 것이다. 이러한 변화는 유례없이 빠른 속도로 진행되어 우리에게 흥분과 공포를 동시에 일으키고 있다.

지금까지 기술은 우리가 쉽고, 빠르게 그리고 효율적인 방법으로 일할 수 있게 했다. 또한 개인이 발전할 수 있는 기회도 제공했다. 그러나 지금 우리는 기술이 제공할 수 있는 것이 더 많다는 사실과 단지 순기능으로서의 역할만 생각할 수 없는 일임을 직감하기 시작했다. 앞서 설명한 것처럼, 우리는 끊임없는 적응을 요구하는 본질적 체제 변화의 문턱에 서 있다. 그 결과로, 변화를 받아들이는 사람과 변화에 저항하는 사람 사이에 점차 심화되는 양극화를 목격할 수도 있다.

앞에서 언급한 사회적 불평등을 뛰어넘는 불평등의 가능성도 묵과할 수 없다. 존재론적 불평등은 그 단어 자체가 의미하는 것처럼 수용하는 사람과 저항하는 사람 그리고 물질적 승자와 패자로 갈라놓게 될 것이다. 승자는 제4차 산업혁명의 특정 분야(유전공학과 같은)로 가능해진 인간의 근본적 개선에서 오는 이점을 누리게 될 수도 있지만, 패자는 그렇지 못할 것이다. 때문에 우리가 한 번도 겪지 못했던 종류의 계층 간 갈등과 충돌을 야기할 위험이 있다. 잠재적 분열과 갈등은 디지털 세상에서 나고 자란 세대와 반드시 디지털 세상에 적응해야만 하는 세대 간의 단절을 더욱 악화시킬 것이다. 이 역시 여러 윤리적 쟁점을 불러일으킨다.

엔지니어로서 나는 기술을 열성적으로 지지하는 사람이자 얼리어답터다. 그럼에도 많은 심리학자와 사회과학자처럼 거침없이 진행되는 기술의 결합이 우리가 기존에 갖고 있는 정체성이란 개념에 어떠한 영향을 미칠 것인지, 또한 자기반성과 공감, 연민이라는 인간의 본질적 능력을 줄어들게 할 것인지 궁금하다.

생명공학에서 인공지능까지 제4차 산업혁명으로 촉발된 상상을 초월하는 혁신은, 인간이란 무엇인가에 대한 개념을 재정립하고 있다. 과거에는 공상과학의 전유물이었던 수명과 건강, 인지, 그리고 능력의 한계점이 기술혁신으로 인해 확장되고 있다. 이 분야의 지식이 늘고, 놀라운 발견들이 계속 등장함에 따라 도덕적, 윤리적 논의를 지속적으로 이어가겠다는 우리의 관심과 약속이 점점 중요해지고 있다. 인간이자 사회적 동물로서 우리는 생명 연장과 맞춤형 아기, 기억 추출 등 그 외 수많은 관련 사안에 대해 어떻게 반응할 것인지 각자 그리고 함께 생각해봐야 한다.

이와 동시에, 놀라운 기술의 발견이 반드시 공공의 이익이 아닌 특정 집단의 이익을 위해 악용될 수 있음을 인식해야 한다. 이론 물리학자이자 저자인 스티븐 호킹Stephen Hawking과 동료 과학자인 스튜어트 러셀Stuart Russell, 맥스 테그마크Max Tegmark, 프랭크 윌첵Frank Wilczek은 《인디펜던트The Independent》지에서 인공지능이 시사하는 바에 대해 아래와 같이 자신들의 의견을 밝혔다.

"인공지능의 영향력은 단기적으로는 누가 통제하느냐에 달렸지만, 장기적으로는 결국 인공지능이 통제될 수 있을 것인가에 달려 있습니다. (…) 혜택을 누리고 위험은 피할 수 있는 확률을 높이기 위해 우리가 지금 무엇을 할 수 있는지 함께 고민해야 할 때입니다."[60]

인공지능 분야의 흥미로운 발전은 바로 비영리 인공지능 연구단체인 오픈AIOpenAI다. 오픈AI는 설립 당시 자사의 목표에 대해 "오픈

AI는 금전적 이익에 구애받지 않고 인류 전체의 이익에 기여하는 방향으로 인공지능을 향상시키는 것"이라고 천명했다.[61] 와이콤비네이터Y Combinator의 사장 샘 알트만Sam Altman과 테슬라모터스Tesla Motors의 CEO 일론 머스크Elon Musk가 공동의장직을 맡고 있는 이 이니셔티브는 10억 달러의 자금 지원을 확보했다. 이 프로젝트는 앞에서 소개한 핵심 포인트를 강조한다. 다시 말해, 제4차 산업혁명의 가장 큰 영향력은 새로운 기술의 융합으로 발휘될 '힘을 부여할 가능성empowering potential'이다. 샘 알트만은 "개개인에게 힘을 실어주고, 더욱 나은 인간으로 만들어주며, 누구나 무료로 활용하게 하는 것이 인공지능을 발전시킬 수 있는 최선의 방법이다"라고 말했다.[62]

인터넷과 스마트폰과 같은 일부 특정 기술이 인간에게 미치는 영향은 상대적으로 잘 인식되었고 전문가와 학회에서도 널리 논의되었다. 그러나 그 외 다른 영향은 파악하기가 매우 어렵다. 인공지능이나 합성생물학이 그렇다. 머지않은 미래에는 유전자 맞춤형 아기와 더불어 유전적 질병을 제한하고 인간의 인지능력을 증강시키는 등 인류를 수정하는 기술이 등장할지도 모른다. 인간으로서 우리가 마주할 가장 심각한 일부 윤리적, 종교적 문제를 야기하게 될 것이다. ([박스 8] '윤리의 관점에서', pp.160~161 참고)

윤리의 관점에서

기술의 진보는 우리를 새로운 윤리의 경계로 몰아세운다. 생물학의 믿기 어려운 진보는 질병을 치료하고 부상을 회복할 때만 활용되어야 할까, 아니면 우리를 더 나은 인간으로 만들기 위한 목적으로 활용돼도 될까? 만약 후자를 택한다면, 자녀를 원하는 대로 맞춤생산하는 상품으로 둔갑시켜 소비자 사회의 확장 위험성을 가져오는 것은 아닐까? 또한 "더 나은" 인간의 정의는 무엇인가? 질병에 걸리지 않는 것을 의미하는 것일까? 장수를? 똑똑한 지능을? 더욱 빨리 달릴 수 있는 능력을? 외모를 뜻하는 것일까?

우리는 인공지능과 관련해 이와 유사한 복잡하고 위험한 질문들을 마주하고 있다. 기계가 우리보다 더욱 앞서 빠르고 깊이 생각하는 능력을 지닌다면 어떻게 될 것인가. 아마존과 넷플릭스는 이미 소비자의 취향을 예측하는 알고리즘을 사용해 우리에게 영화와 책을 추천한다. 데이트 사이트와 취업 사이트 역시 우리에게 가장 잘 맞는 사람과 직업을 위치에 관계없이 가려낼 수 있는 시스템을 활용해 우리에게 연인과 직장을 제안한다. 우리는 어떻게 해야 할까? 알고리즘의 제안을 받아들여야 할 것인가, 아니면 가족과 친구, 동료의 충고를 받아들여야 할 것인가? 완벽에 가까운 진단 성공률을 자랑하는 인공지능 로봇 의사와 상담하는 것이 좋을까, 아니면 오랜 시간 알고 지내며 환자에 대한 따뜻한 태도를 갖추고 있는 인간 의료진에게 맡기는 것이 좋을까?

위 상황들, 그리고 이것이 인간에게 미칠 영향력을 고려해보면 우리는 현재 미지의 영역에 있음이 분명하다. 우리가 한 번도 경험하지 못한 인류 변화의 서막이 오른 것이다.

인공지능과 기계학습의 예측능력과 관련하여 또 다른 중요한 쟁점이 있다. 만약 어떤 상황 속 우리의 행동이 예측 가능해진다면, 그 예측에서 벗어나기 위한 자유가 우리에게 얼마나 있을까? 기계의 예측능력으로 인해 인간이 로봇처럼 행동하게 되는 상황이 발생하지는 않을까? 이런 쟁점은 인간의 다양성과 민주성의 근원인 개인의 특성을 디지털 시대에 어떻게 유지할 수 있는지에 대한 철학적 질문으로 이어진다.

휴먼 커넥션(Human Connection)

the fourth industrial re.volution

앞서 제기된 윤리적 문제들이 보여준 바와 같이, 세상이 더욱 디지털화되고 첨단 기술화될수록, 우리는 친밀한 관계 및 사회적 연계에서 비롯되는 인간적 감성을 더욱 갈구하게 된다. 제4차 산업혁명으로 개인과 집단이 기술과 더욱 깊은 관계를 맺게 되면서, 인간이 타인과 공감할 수 있는 사회적 능력에 악영향을 끼칠 수 있다는 우려 역시 커지고 있다. 이런 상황은 더 이상 우려가 아닌 현실이 되고 있다. 2010년 미시간 대학교University of Michigan에서 진행한 연구에 따르면 대학생들의 공감능력이 40퍼센트나 떨어졌고(20~30년 전 대학생들과 비교하여), 이러한 공감능력의 저하는 대부분 2000년 이후에 발생했다.[63]

MIT 대학교의 셰리 터클Sherry Turkle 교수에 따르면 10대 청소년 가운데 44퍼센트는 운동경기를 할 때나 가족 혹은 친구와 함께 식사를 하는 자리에서도 온라인 세상과의 연결을 끊지 않는 것으로 밝혀졌다. 서로 얼굴을 맞대고 하는 대화는 온라인 소통에 밀려났고, 온라인 미디어에 휩쓸린 젊은 세대 전체가 타인의 말을 듣거나 눈을 맞추거나, 타인의 몸짓을 이해하는 데 어려움을 겪을 수 있다는 공포심이 생기고 있다.[64]

우리와 모바일 기술 간의 관계가 좋은 예다. 우리는 항상 연결되어 있기 때문에 잠시 멈춰 사색하는 시간과, 기술 및 소셜 미디어의 도움 없이 실질적인 대화를 나누는 시간이라는 소중한 자산 중 일부를 빼앗기고 있다. 터클 교수는 두 사람이 대화할 때 모바일폰이 단지 테이블 위에 있거나 주변 시야에 있는 것만으로도 대화의 주제와 유대감의 정도가 달라진다는 연구 결과에 대해 언급했다.[65] 우리가 모바일폰을 사용하지 말아야 한다는 것이 아니라, 조금 '더 큰 목적'을 갖고 활용해야 함을 뜻한다.

다른 전문가들도 역시 이와 비슷한 우려를 표명했다. 기술과 문화에 대한 글을 쓰는 니콜라스 카Nicholas Carr는 우리가 디지털 홍수에 빠져 있는 시간이 길어질수록, 우리 스스로 주의력을 통제하지 못해 인지능력이 퇴화하게 된다고 밝혔다.

"인터넷은 의도적으로 구축한 방해체계interruption system로서 우리의 집중력을 분산시키기 위해 만들어진 기계다. 잦은 방해는 우리의 생각을 흩뜨리고, 기억력을 약화시키며 우리를 긴장하고 불안하게 한다. 생각의 흐름이 복잡해질수록, 우리의 집중에 방해가 되는 요소는 사고에 더 큰 손해를 입힌다."[66]

1978년 노벨 경제학상을 수상한 허버트 사이먼Herbert Simon 박사는 1971년에 이미 "정보의 풍요는 집중력의 결핍으로 이어지게 된다"라고 경고한 바 있다. 오늘날의 상황은 더욱 나빠졌다. 특히나 '할 일'이 너무 많아 과부하가 걸리고, 지나치게 무리하며, 지속적인 스트레스를 받고 있는 의사결정자들의 경우 집중력의 결핍이 더욱 뚜렷하게 나타난다.

여행작가인 피코 아이어Pico Iyer는 자신의 책에 이런 말을 남겼다.

"가속화의 시대에서는 느리게 가는 것만큼 행복한 일은 없다. 집중을 방해하는 일이 많아진 시대에서 집중하는 것만큼 사치스러운 것은 없다. 계속 해서 움직이는 세상에서 가만히 앉아 있는 것만큼 시급한 일도 없다."[67]

24시간 내내 연결되는 디지털 도구와 연계된 우리의 두뇌는 지속적인 광란의 상태에 빠져 영구적으로 움직이는 기계로 변하게 될 위험이 있다. 나 역시도 잠시 하던 일을 멈추고 생각할 시간을 가질 여유가 없어 아주 짧은 기사마저도 끝까지 읽는 '사치'를 부릴 수 없다고 말하는 리더를 많이 봐왔다. 국제사회의 모든 의사결정자들은 계속된 탈진 상태에 빠져 경쟁적으로 달려드는 수많은 요구에 잠식당한 나머지 좌절감에 휩싸여 사임을 하거나 절망에 빠지게 된다. 새로운 디지털 시대에서는 불가능하진 않겠지만 한 걸음 물러나 생각하는 일이 실제로 어려워지고 있다.

개인 The Individual

공공 및 개인 정보 관리

the fourth industrial revolution

인터넷과 상호연결성이 높아지면서 개인에게 발생하는 가장 큰 문제 중 하나가 바로 사생활 침해에 대한 우려다. 프라이버시에 대한 쟁점은 더욱 큰 문제로 우리에게 다가오고 있다. 하버드 대학교Harvard University의 정치철학자인 마이클 샌델Michael Sandel이 말한 것처럼 "우리는 일상적으로 사용하는 여러 기기를 통해 편리함을 취하는 대가로 기꺼이 사생활을 제공하려는 경향을 점점 더 보이고" 있기 때문이다.[68] 에드워드 스노든의 폭로로 일부가 드러났고, 해방과 민주화의 도구로 전례 없는 역할을 할 수 있는 인터넷은 동시에 무차별적이고 광범위하며 그 의도를 파악할 수 없는 거대 감시 도구로 탈바꿈할 수도 있다는 사실을 목격했듯이, 더욱 투명해진 세상에서 프라이버시란 무엇인지에 관한 세계적 논의가 이제 막 시작되었다.

프라이버시가 왜 이리도 중요한 쟁점이 되었을까? 우리는 개인에게 왜 사생활이 중요한지 본능적으로 알고 있다. 사생활을 중요하게 생각하지 않고, 숨길 것이 하나도 없다고 주장하는 사람들마저도 타인에게 드러나지 않길 바라는 온갖 종류의 말과 행동이 있다. 감시당하는 사람이 감시당하고 있다는 사실을 알게 되는 순간 그의 행동이 더욱 순응적으로 변한다는 사실을 입증하는 수많은 연구 자료가 있다.

이 책은 사생활에 대한 방대한 고찰이나 데이터 소유권에 대한 문제를 논하려는 것은 아니다. 그러나 개인이 자신의 데이터에 대한 통제력을 잃는 것이 우리 내부적 삶에 어떠한 영향을 미치게 될지 등에 관한 여러 본질적 사안에 대한 논의가 앞으로 더욱 심화될 것으로 본다. ([박스 9] '우리의 건강과 사생활의 범위', p.168 참고)

사생활과 관련된 사안은 매우 복잡하다. 우리는 이제 막 심리학적, 도덕적, 사회적 시사점에 대해 눈을 떴을 뿐이다. 개인적 차원에서 내가 생각하는 프라이버시 관련 문제들은 이렇다. 개인의 삶이 완전히 공개될 때, 크고 작은 비도덕적 행동이 모두에게 알려질 때 누가 용기 있게 나서서 최고 지도자로서 책임을 맡으려고 할 것인가?

제4차 산업혁명으로 기술은 우리 개인의 일상 전반에 스며들어 삶 대부분을 지배하게 되지만, 기술이 가져올 방대한 변화가 우리의 자아에 어떠한 영향을 미칠 것인지에 대해서는 이제야 조금씩 이해하기 시작한 단계다. 궁극적으로는 우리가 기술의 노예가 아닌 활용자가 되어야 한다는 점을 확실히 인지해야 한다. 이는 우리 스스로 해야 할 몫이다. 집단적인 관점에서는, 기술이 우리에게 던지는 문제에 대해 모두가 정확히 인지하고 분석해야 한다는 점을 명심해야 한다. 그래야만 제4차 산업혁명이 우리의 행복을 파괴하기보다는 향상시킬 것임을 확신할 수 있다.

우리의 건강과 사생활의 범위

웨어러블 기기인 웰니스wellness로 인해 사생활 침해라는 복잡한 논란이 제기되고 있다. 점점 더 많은 보험회사들이 웨어러블 기기를 보험계약자에게 제공하는 방안을 논의하고 있다. 우리의 수면시간과 운동시간, 얼마나 많이 걷는지, 식습관은 어떤지 등을 데이터화할 수 있는 기기를 몸에 장착하게 되면, 또한 우리의 정보가 보험사로 전달되는 것에 동의한다면 보험회사에서는 당신의 보험료를 낮춰줄 것이다.

이러한 발전이 우리의 삶을 더욱 건강하게 지켜주기 때문에 환영해야할까? 아니면 정부에서부터 기업에 이르기까지 우리의 삶이 점점 더 감시당하는 사회로 진입하고 있음을 염려해야 할까? 아직까지는 웰니스의 사용 여부는 개인의 선택에 달려 있다.

하지만 이러한 상황을 조금 더 멀리 내다보는 차원에서 한 가지 가정을 해보자. 현재는 기업의 생산성을 높이고 건강보험료를 낮출 수 있도록 고용주가 직원들에게 기기를 착용하도록 권하고, 보험회사에 측정 데이터를 전송하도록 한다. 하지만 만약 기업이 기기 착용을 원치 않는 직원에게 강요하고, 벌금이라도 물게 한다면 어떤 일이 벌어질까? 전에는 철저히 개인의 선택인 듯했던 웨어러블 기기의 착용 여부가 수용할 수 없다고 간주하는 새로운 사회규범에 순응하는 문제가 되었다.

WORLD
ECONOMIC
FORUM

COMMITTED TO
IMPROVING THE STATE
OF THE WORLD

제4차 산업혁명의 방법론

세계경제포럼의 글로벌어젠다카운슬에서는 '소프트웨어와 사회의 미래(The Future of Software and Society)'라는 주제하에 800명이 넘는 경영진들을 대상으로, 세계의 흐름을 바꾸는 기술이 공공 영역에 깊숙이 침투한다면 그 시점은 언제일 것으로 예상하는지, 그리고 이런 변화가 개인, 기관, 정부와 사회에 미칠 영향을 충분히 이해하고 있는지에 대해 설문조사를 실시했다.

〈거대한 변화-기술의 티핑 포인트와 사회적 영향(Deep Shift-Technology Tipping Points and Social Impact)〉에 대한 설문조사 보고서는 2015년 9월에 발표되었다.[69] '제2부'에서는 앞서 소개된 21가지 티핑 포인트 외에도 2가지를 추가했고, 이 기술들의 티핑 포인트와 시장에 진입할 것으로 예상되는 시기를 포함해 재구성했다.

체내 삽입형 기기

the fourth industrial revolution

티핑 포인트 상업화된 최초의 (인체) 삽입형 모바일폰이 등장한다.
2025년까지 발생 가능성 예상 응답자 82%

사람들은 점점 더 기기에 연결되고, 이런 기기들은 점점 더 인체에 연결될 것이다. 기기는 우리 몸에 차는 것이 아닌 체내에 삽입되어 의사소통을 돕고 위치와 행동을 모니터링하고 건강 기능을 확인할 수 있도록 해줄 것이다.

심박조율기와 달팽이관 삽입은 단지 시작에 불과하다. 다양한 의료기기들이 대거 시장에 진입하고 있다. 체내 삽입형 기기는 질병의 인자를 감지해 개개인이 조치를 취할 수 있도록 해주고, 모니터링 센터로 데이터를 전송하거나 자동으로 치료약을 인체에 투여하도록 한다.

전자문신(스마트 타투, smart tattoo)과 기타 새로운 유형의 칩은 신원 확인과 위치 확인에 도움이 될 수 있다. 체내에 삽입된 기기를 통해 우리는 '내장된built-in' 스마트폰을 활용하여 그간 말로 표현해야 했던 내용을 생각으로 전달할 수 있게 되고, 이에 따라 밖으로 드러나지 않은 생각 혹은 감정이 뇌파와 기타 시그널을 통해 전달될 가능성도 있다.

- **긍정적 효과**
  - 실종 아동이 감소한다.
  - 건강에 관한 더 많은 긍정적 결과가 나타난다.
  - 개인의 자족自足성이 증대한다.
  - 의사결정이 더 나아진다.
  - 이미지 인식이 가능해지고, 개인 데이터가 활용 가능해진다. (우리를 '옐프yelp'하게(yelp.com 웹사이트의 개념을 차용한 표현. 해당 사이트상에서 사람들은 서로 직접 리뷰를 주고받으며, 이 모든 기록은 내장된 칩을 통해 온라인으로 저장·공유된다) 만들 익명 네트워크)

- **부정적 효과**
  - 사생활 침해와 감시의 가능성이 있다.
  - 데이터 보안성이 저하된다.
  - 현실도피와 중독이 생긴다.

– 주의력결핍장애와 같은 방해요소increased distractions가 더 발생한다.

- **■ 예측 불가능한 영역**

  – 수명이 연장된다.

  – 인간관계의 본질에 변화가 생긴다.

  – 인간 상호작용과 대인관계에 변화가 생긴다.

  – 실시간 신원 확인이 가능해진다.

  – 문화적 변화(영원한 기록)가 나타난다.

- **■ 현재 동향**

  – 전자문신은 멋져 보일 뿐 아니라, 자동차 문 열기, 손짓으로 모바일 폰 비밀번호 입력하기, 신체 기능 추적하기 등 유용한 업무도 수행할 수 있다.[70]

  – 미래 혁신산업 분석기관인 'WT VOX'의 기사에 다음과 같은 내용이 실렸다. "안테나가 장착된 컴퓨터 여러 대의 집합으로 각 컴퓨터의 크기가 모래 한 알보다 작은 스마트 더스트Smart Dust는 인간의 신체 내에서 뭉쳐져 복잡한 내부 과정을 처리하는 데 필요한 만큼의 네트워크 상태로 스스로를 구조화한다. 이 더스트 뭉치가 초기 암세포를 제압하고, 상처의 통증을 완화시키며, 중요한 개인정보를 암호화하여 해킹하기 어렵게 저장해준다고 상상해보자. 스마트 더스트를 활용하면 의사는 환자의 몸을 개복하지 않고도 수술할 수 있고, 개인의 나노 네트워크로 암호를 풀지 않는 이상, 정보는 우리

의 몸 안에 암호화되어 깊숙이 저장된다."[71]

- 제약회사인 프로테우스 바이오메디칼Proteus Biomedical과 노바티스
  Novartis가 공동으로 개발한 '스마트 필smart pill'에는 생분해성의 디지
  털 기기가 부착되어 있어 신체가 약에 어떻게 반응하는지 확인할
  수 있는 데이터를 모바일폰으로 전송해준다.[72]

디지털 정체성

the fourth industrial revolution

티핑 포인트 인구의 80%가 인터넷상 디지털 정체성을 갖게 된다.

2025년까지 발생 가능성 예상 응답자 84%

지난 이십몇 년간 디지털상에서 정체성을 갖는 인구가 급속하게 늘어났다. 불과 10년 전만 해도 휴대전화 번호, 이메일 주소, 개인 웹사이트나 마이스페이스MySpace 페이지를 통해 생성되는 것들이 디지털 정체성의 전부였다.

오늘날, 사람들은 디지털 정체성을 디지털 상호작용으로 여기기 때문에, 수많은 온라인 플랫폼과 미디어를 따라 계속해서 또 다른 디지털 정체성을 만들어내고 있다. 수많은 이들이 페이스북 페이지, 트위터 계정, 링크드인LinkedIn 프로필, 텀블러Tumblr 블로그, 인스타그램 계정 등 하나 이상의 디지털 정체성을 보유하고 있는 것이다.

연결성이 점점 늘어나는 세상에서 디지털 삶은 실제 삶과 깊이 연계되어 있어, 따로 떼어놓고 생각할 수 없게 되었다. 미래에는 디지털 정체성을 구축하고 관리하는 일이 우리가 현실에서 매일같이 옷차림, 말투, 행동 등을 통해 세상에 자신을 드러내는 것처럼 흔한 일이 될 것이다. 연결된 세상 속 디지털 정체성을 통해 사람들은 정보를 찾고, 공유하고, 자유롭게 생각을 표현하고, 검색하거나 검색당하며, 사실상 세계 어디에 있는 누구와도 관계를 쌓아가고 유지할 수 있게 된다.

■ **긍정적 효과**

- 투명성이 증가한다.
- 개인 간, 그룹 간의 신속한 상호연결성이 늘어난다.
- 언론의 자유가 늘어난다.
- 정보의 보급과 교환이 빨라진다.
- 정부가 제공하는 서비스를 더 효율적으로 활용할 수 있다.

■ **부정적 효과**

- 사생활 침해와 감시의 가능성이 있다.
- 신원 도용이 증가한다.
- 온라인 괴롭힘과 스토킹이 일어난다.
- 이익단체 내 집단사고Groupthink와 양극화가 늘어난다.

– 부정확한 정보가 보급된다(평판을 관리할 필요가 있다). 반향실 효과 echo chambers effect(폐쇄 공간에서 비슷한 정보와 아이디어가 돌고 돌면서 강화되는 현상–옮긴이 주)가 생긴다.[81]

– (뉴스·정보 목적의) 정보 알고리즘에 대한 개인의 접근 제한으로 투명성이 부족해진다.

■ **예측 불가능한 영역**

– 디지털 유산과 발자취가 남는다.

– 광고는 더욱더 고객맞춤형으로 변한다.

– 맞춤형 정보와 뉴스가 제공된다.

– 개인의 프로파일링(개인의 건강, 경제상태, 업무처리현황, 취향, 관심 등을 분석 또는 예측할 목적으로 진행하는 개인정보의 자동화된 처리과정을 의미–옮긴이 주)이 생성된다.

– 영구적인 정체성이 생긴다. 따라서 더 이상 익명은 없다.

– (정치 단체, 이익집단, 취미 그룹, 테러리스트 단체 등이) 온라인 사회운동을 전개하기가 쉬워진다.

■ **현재 동향**

규모가 가장 큰 세 개의 소셜 미디어를 국가에 비유한다면, 중국보다 10억 명 이상 많은 인구를 보유한 거대국가가 될 것이다([표4] 참고).

⊙ 표4. 소셜 미디어 사이트의 활동적 이용자 수와 인구 대국 비교

상위 10대 규모 인구 (단위: 100만 명)

1		페이스북(Facebook)	1,400
2		중국	1,360
3		인도	1,240
4		트위터(Twitter)	646
5		미국	318
6		인도네시아	247
7		브라질	202
8		파키스탄	186
9		나이지리아	173
10		인스타그램(Instagram)	152

출처: http://mccrindle.com.au/the—mccrindle—blog/social—media—and—narcissism

새로운 인터페이스로서의 시각

the fourth industrial revolution

티핑 포인트 독서용 안경의 10%가 인터넷에 연결된다.

2025년까지 발생 가능성 예상 응답자 86%

'구글 글래스Google Glass'는 안경, 아이웨어·헤드셋, 안구추적eye-tracking 기기가 '지능적'이 될 수 있고, 눈과 시야가 인터넷 또는 인터넷으로 연결된 기기와 연결될 수 있는 등 다양한 가능성을 갖고 있다는 것을 세상에 알리는 시작에 불과하다.

구글 글래스를 통해 인간의 시각이 인터넷 애플리케이션과 데이터에 바로 접근할 수 있게 됨에 따라, 색다르고 실감 나는 현실을 마주하며 인간의 경험은 향상되고 영향을 받으며 확장될 것이다. 또한 새로 등장한 안구추적 기술 덕분에 기기는 비주얼 인터페이스를 통해 정보를 전달할 수 있고, 이에 따라 우리의 눈은 정보를 주고받고 그에 반응하는 원천이 될 수 있다.

명령, 시각화, 상호작용을 통해 시각이 즉각적이고 직접적인 인터페이스가 된다면 학습, 내비게이션, 명령, 피드백의 방법을 변화시켜, 상품과 서비스를 생산하고 엔터테인먼트를 즐기고 장애가 있는 사람들의 생활을 돕는 등 결과적으로 모든 사람들이 세상과 더욱 충분히 교류하고 참여할 수 있도록 도와준다.

- **긍정적 효과**
  - 개인이 실시간 정보를 활용해 내비게이션과 업무 및 개인 활동에 관한 현명한 결정을 하도록 한다.
  - 제조업, 헬스케어 및 외과수술과 서비스 제공에 시각적인 도움을 받아 업무 수행 능력과 상품 및 서비스 생산 능력이 향상된다.
  - 언어적 명령과 타이핑, 몸짓 그리고 몰입형 체험immersive experience 을 통해 장애인들의 상호교류와 이동성 향상 및 세상을 체험하는 다양한 방식을 제공한다.

- **부정적 효과**
  - 주의 산만으로 사고가 발생한다.
  - 부정적 몰입형 체험의 경험으로 인한 트라우마가 생긴다.
  - 현실도피와 중독이 생긴다.

■ **예측 불가능한 영역**

– 엔터테인먼트 산업 분야에 새로운 영역이 생긴다.

– 즉각적인 정보가 늘어난다.

■ **현재 동향**

스마트 글래스smart glass는 이미 시장에 출시되어 있고, (구글 외에도 다른 기업이 참여하여) 아래와 같은 기술이 가능하다.[73]

– 점토로 형태를 만들듯 3D 사물을 자유자재로 형상화할 수 있다.

– 뇌가 작동하는 방식과 같이 시각을 통해 무언가를 인지하면, 그에 대해 필요한 확장된 정보를 실시간으로 제공한다.

– 음식점을 지나칠 때 음식점의 메뉴가 즉각적으로 글래스 화면에 노출된다.

– 모든 종이에 사진과 비디오를 띄울 수 있다.

웨어러블(Wearable) 인터넷
the fourth industrial revolution

티핑 포인트 인구의 10%가 인터넷에 연결된 의류를 입는다.

2025년까지 발생 가능성 예상 응답자 91%

과학기술은 점점 개인의 사적인 영역으로 변하고 있다. 처음에는 큰 방에 컴퓨터를 두어야 했지만, 이후에는 책상으로 옮겨졌고, 뒤이어 사람들의 무릎 위로 자리를 옮겼다. 과학기술이 이제 우리의 주머니 속 모바일폰에 담겨 있듯이, 머지않아 의류와 장신구에 내장될 것이다.

2015년에 출시된 애플워치는 인터넷에 연결되어 스마트폰과 크게 다르지 않은 기능적 성능을 갖추었다. 점차적으로 의류와 장신구에도 칩이 내장되어, 해당 물품과 그 물건을 착용한 사람은 인터넷에 연결될 수 있다.

- **■ 긍정적 효과**
  - − 수명 연장으로 이어지는 더욱 긍정적인 건강 결과가 나올 것이다.
  - − 개인의 자족自足성이 증대한다.
  - − 스스로 건강관리를 할 수 있다.
  - − 의사결정이 더 나아진다.
  - − 실종 아동이 감소한다.
  - − (재단, 디자인 등) 맞춤형 의류가 늘어난다.

- **■ 부정적 효과**
  - − 사생활 침해와 감시의 가능성이 있다.
  - − 현실도피와 중독이 생긴다.
  - − 데이터 보안이 문제가 된다.

- **■ 예측 불가능한 영역**
  - − 실시간 신원 확인이 가능하다.
  - − 개인 소통 및 대인관계에 변화가 생긴다.
  - − 이미지 인식이 가능해지고, 개인 데이터가 활용 가능해진다. (우리를 '옐프yelp'하게 만들 익명 네트워크)

■ **현재 동향**

– 리서치·자문 전문업체인 가트너Gartner는 2015년에 약 7,000만 개
의 스마트 워치와 밴드가 팔릴 것이고 5년 안에 총 5억 1,400만 개
가 팔릴 것이라 예측했다.[74]

– '미모 베이비Mimo Baby'는 빠르게 성장 중인 웨어러블 베이비 모니
터 기기를 출시했다. 이 기기를 통해 아기의 호흡과 자세, 수면 활
동 등이 부모의 아이패드나 스마트폰으로 전송된다(이 기기는 양육에
도움을 주는 것인지, 아니면 아직 발생조차 하지 않은 문제에 해결책을 제시하
고자 하는 것인지 그 경계에 대한 논란을 일으켰다. 반대하는 입장에서는 센서
는 부모의 육아를 대신할 수 없다고 주장하는 반면, 찬성하는 입장에서는 아
기의 수면을 도와주는 기기라고 주장한다).[75]

– 랄프 로렌에서는 옷을 착용한 사람이 흘리는 땀의 양과 심박수, 호
흡 등을 측정해 실시간 운동 데이터를 제공해주는 스포츠 셔츠를
개발했다.[76]

유비쿼터스(Ubiquitous) 컴퓨팅

the fourth industrial revolution

티핑 포인트 인구의 90%가 언제 어디서나 인터넷 접속이 가능하다.

2025년까지 발생 가능성 예상 응답자 79%

컴퓨터를 나날이 편하게 사용할 수 있게 되면서, 인터넷 연결을 통해서건 3G·4G 스마트폰 혹은 클라우드 서비스를 통해서건 그 어느 때보다 개인이 컴퓨터의 힘을 활용할 수 있는 세상이 되었다.

오늘날 세계 인구의 43퍼센트가 인터넷에 연결되어 있다.[77] 2014년에만 12억 대의 스마트폰이 판매되었다.[78] 2015년 태블릿의 매출은 퍼스널 컴퓨터PC의 매출을 넘어선 것으로 추정된다. 모바일폰의 매출(총합)은 컴퓨터의 매출을 6배나 앞질렀다.[79] 인터넷 수용 속도가 다른 모든 미디어 채널의 속도를 앞질러 성장해왔으므로, 몇 년 이내로 세계 인구의 4분의 3이 언제 어디서든 인터넷을 사용할 수 있을 것으로 예상된다.

인터넷과 정보에 대한 통상적인 접근이 미래에는 더 이상 선진국에서만 누릴 수 있는 혜택이 아니라, 깨끗한 물을 누리는 것과 같은 기본적 권리가 될 것이다. 무선 통신기술은 다른 공공 사업(전력, 도로, 상수도 등)에 비해 기반시설 구축이 까다롭지 않기 때문에, 다른 사업에 비해 빠른 속도로 전파될 것이다. 따라서 국가에 관계없이 누구나 지구 반대편의 정보에 접근하고 교류할 수 있게 된다. 콘텐츠 창작과 보급은 그 어느 때보다도 쉬워질 것이다.

■ **긍정적 영향**

- 오지나 저개발 지역에 거주해 제대로 혜택을 받지 못한 인구의 경제 참여가 늘어난다. ('라스트 마일last mile 기술(광대역 전송 신호를 최종 이용자로 전송하는 마지막 1마일 내외의 비교적 단거리 구간에 적용되는 통신 기술—옮긴이 주)')
- 학업, 헬스케어, 정부 서비스에 대한 접근성이 늘어난다.
- 언제 어디서나 인터넷상에서 존재 가능하다.
- 기술 능력에 대한 접근성이 가능해지고, 고용의 질이 더 좋아지며 일자리 유형의 변화가 생긴다.
- 시장의 규모와 전자상거래E-commerce가 확대된다.
- 정보가 더 많아진다.

- 시민의 참여가 늘어난다.
- 민주화와 정치적 변화가 증가한다.
- 라스트 마일은 '투명성과 참여의 확대'와 '조작과 반향실 효과' 간의 문제를 야기한다.

■ **부정적 영향**

- 조작과 반향실 효과가 늘어난다.
- 정치적 분열이 생긴다.
- (제한된 환경이나 인증된 사용자들에게만 접근을 허용하는 등) '울타리가 있는 정원Walled gardens'이라고 일컫는 '폐쇄형 네트워크 서비스' 환경이 조성되면 일부 지역과 국가의 완전한 접근성full access을 허용하지 않는다.

■ **현재 동향**

아직 인터넷을 사용하지 못하는 40억 인구에게 인터넷을 보급하기 위해서는 두 가지 과제, 즉 '접근 가능성'과 '감당할 수 있는 비용'의 문제를 극복해야 한다. 인터넷에 접근이 불가능한 나머지 전 세계 인구에게 인터넷 접근을 가능케 하려는 움직임이 현재 진행 중이다. 이미 세계 인구의 85퍼센트가 인터넷 서비스를 제공하는 휴대전화 송신탑에서 2킬로미터 반경 안에 거주하고 있다.[80] 전 세계 모바일 사업자들은 빠른 속도로 인터넷을 확산시키고 있다. 페이스북은 이동통신 사업자들과 함께 '인터넷닷오알지(Internet.org)'라는 프로젝트를 통해 2014년 한 해 동안 17개국 10억 명 이상의 사람들에게 기본 인터넷 서비스를 무료로 제공했다.[81] 심지어 오지 지역도 적절한 비용으로 인터넷을 사용할 수 있도록 많은 이니셔티브가 진행 중이다. 페이스북의 '인터넷닷오알지'는 인터넷 드론을 개발 중이고, 구글의 '프로젝트 룬Project Loon'은 열기구를 활용하고 있으며, '스페이스엑스SpaceX'는 새로운 저비용 위성 네트워크에 투자하고 있다.

주머니 속 슈퍼컴퓨터

the fourth industrial revolution

티핑 포인트 인구의 90%가 스마트폰을 사용한다.

2025년까지 발생 가능성 예상 응답자 81%

이미 2012년에 구글 인사이드 서치Google Inside Search 팀은 "구글 서치에서 한 가지 내용을 검색할 때 소요되는 처리 능력은 아폴로 우주선 발사 외에도 십수 년간 아폴로 프로그램을 위해 사용된 컴퓨팅 능력을 합친 것과 맞먹는 규모"[82]라고 발표했다. 더욱이 현재의 스마트폰과 태블릿은 과거에 방 한 칸을 모두 차지하던 크기의 일명 슈퍼컴퓨터보다 컴퓨팅 파워가 훨씬 높아졌다.

2019년까지 전 세계 스마트폰 사용자는 35억 명이 될 것으로 기대되는데, 그러면 스마트폰 보급률이 59퍼센트에 달할 것이다. 이는 2017년 스마트폰 보급률 57퍼센트를 넘어서고 2013년 보급률이었던 28퍼센트에서 크게 늘어나는 것이다.[83] 케냐의 최대 이동통신 업체인 사파리콤Safaricom은 2014년 휴대전화 판매의 67퍼센트가 스마트폰이라고 보고했고, 세계이동통신사업자협회GSMA는 2020년까지 아프리카의 스마트폰 사용자가 5억 명 이상이 될 것이라고 예측했다.[84]

더욱 많은 사람들이 기존의 PC보다 스마트폰을 사용하게 되면서 사용 기기의 변화는 모든 대륙의 여러 나라에서 일어나고 있다(현재는 아시아가 트렌드를 주도하고 있다). 기술의 진보로 기기는 더욱 작아지고 컴퓨팅 파워는 증대되었으며, 특히나 전자제품의 가격이 낮아지고 있기 때문에 스마트폰의 사용은 더욱 가속화될 것이다.

구글에 따르면 [표5]에 표시된 나라에서는 PC보다 스마트폰을 더 많이 사용한다. 한국, 싱가포르, 아랍에미리트 등이 성인 인구의 90퍼센트가 스마트폰을 사용하는 티핑 포인트에 가장 근접한 국가이다([표6] 참고).

우리 사회는 이용자가 이동 중에도 복잡한 업무를 수행할 수 있게 하는 훨씬 빠른 속도의 기계를 도입하는 추세다. 아마도 개인이 사용하는 기기의 수는 크게 늘어날 것이다. 이런 기기들은 새로운 기능을 수행할 뿐 아니라 업무의 전문성도 높일 것이다.

⊙ 표5. PC보다 스마트폰을 더 많이 사용하는 국가 지표 (2015. 3 기준)

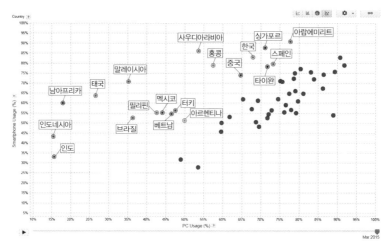

출처: http://www.google.com.sg/publicdata/explore

⊙ 표6. 스마트폰을 사용하는 성인 인구가 90% 가까이 되는 국가들 (2015. 3 기준)

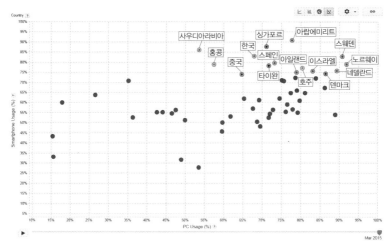

출처: http://www.google.com.sg/publicdata/explore

- **긍정적 영향**

  - 오지나 저개발 지역에 거주하여 제대로 혜택을 받지 못한 인구의 경제 참여가 늘어난다. ('라스트 마일last mile 기술')
  - 학업, 헬스케어, 정부 서비스에 대한 접근성이 늘어난다.
  - 언제 어디서나 인터넷상에서 존재 가능하다.
  - 기술 능력에 대한 접근성이 가능해지고, 고용의 질이 더 좋아지며 일자리 유형의 변화가 생긴다.
  - 시장의 규모와 전자상거래가 확대된다.
  - 정보가 더 많아진다.
  - 시민의 참여가 늘어난다.
  - 민주화와 정치적 변화가 늘어난다.
  - 라스트 마일은 '투명성과 참여의 확대'와 '조작과 반향실 효과' 간의 문제를 야기한다.

- **부정적 영향**

  - 조작과 반향실 효과가 늘어난다.
  - 정치적 분열이 생긴다.
  - '폐쇄형 네트워크 서비스' 환경이 조성되면 일부 지역과 국가의 완전한 접근성full access을 허용하지 않는다.

▪ 예측 불가능한 영역

- 항상 인터넷에 접속해 있다.

- 공과 사의 구분이 불분명해진다.

- (인터넷상에서 정체성이 늘어나) 언제 어디에서나 존재하게 된다.

- 제조업이 환경에 영향을 미친다.

▪ 현재 동향

1985년에는 Cray-2 슈퍼컴퓨터가 세상에서 가장 빠른 기계였다. 2010년에 출시된 아이폰4는 Cray-2에 견줄 능력을 갖추었다. 그로부터 겨우 5년밖에 지나지 않았지만, 이제는 애플워치가 아이폰4 두 대의 속도와 맞먹는다.[85] 스마트폰의 소매가는 50달러 아래로 떨어지고, 처리능력은 훨씬 좋아지고 있으며, 신흥시장의 스마트폰 수용 역시 가속화되고 있기 때문에, 머지않아 우리 모두 주머니 속에 말 그대로 슈퍼컴퓨터를 넣고 다니게 될 것이다.[86]

누구나 사용할 수 있는 저장소

the fourth industrial revolution

티핑 포인트 인구의 90%가 (광고료로 운영되는) 무한 용량의 무료 저장소를 보유한다.

2025년까지 발생 가능성 예상 응답자 91%

지난 몇 년 동안 저장 기술이 급격히 발전하면서 점점 많은 기업들이 사용자들에게 서비스 혜택의 일환으로 무료에 가까운 저장소를 제공하고 있다. 사용자들은 이제 저장 공간을 위해 콘텐츠의 일부를 지워야 한다는 걱정 없이 점점 더 많은 콘텐츠를 생산하고 있다. 저장 용량에 따른 상품화 추세에 나타나고 있는 뚜렷한 특징이 있다. 하나의 원인으로는 저장비용이 기하급수적으로 (5년마다 10배씩) 떨어지고 있다는 점이다([표7] 참고).

⊙ 표7. 기가바이트당 하드 드라이브 가격(1980~2009년)

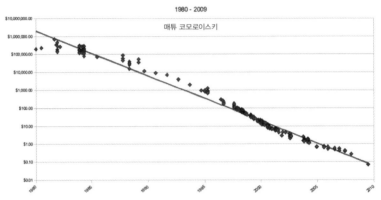

출처: "저장비용의 변천사(a history of storage costs)",
mkomo.com, 2009년 9월 8일[87]

전 세계 데이터의 약 90퍼센트가 지난 2년 동안 만들어진 것으로 추산되고, 기업이 생산한 정보량은 매 14.4개월마다 두 배씩 늘고 있다.[88] 저장소는 이미 상품화되어 아마존 웹 서비스Amazon Web Services 와 드롭박스Dropbox가 이런 추세를 이끌고 있다.

무한대의 무료 저장 공간을 사용자에게 제공하면서 세계는 저장소 의 완전한 상품화를 향해 나아가고 있다. 기업이 무료 저장소 운영으로 수익을 창출할 수 있는 최적의 시나리오는 잠재적으로 광고와 원격측정telemetry 기술(원격을 의미하는 'Tele'와 측정을 의미하는 'metry'의 합성어로, 원격지의 상태를 감시 및 제어하기 위해 기계 간 데이터를 전송하는 서비스를 말한다-옮긴이 주)이 될 것이다.

　　　　　　　　　　/　2부 제4차 산업혁명의 방법론

- **긍정적 효과**

  - 법과 제도가 정비된다.

  - 역사 연구와 학계에 도움이 된다.

  - 기업 운영의 효율성이 높아진다.

  - 개인의 기억력 한계를 확장한다.

- **부정적 효과**

  - 사생활을 감시할 수 있다.

- **예측 불가능한 영역**

  - 기록이 영원히 남는다. (아무것도 지워지지 않는다.)

  - 콘텐츠의 생산, 공유, 소비가 증가한다.

- **현재 동향**

  많은 기업이 이미 클라우드를 통해 2기가바이트에서 50기가바이트까

  지 무료 저장소를 제공하고 있다.

사물 인터넷(Internet of Things)

the fourth industrial revolution

티핑 포인트 1조 개의 센서가 인터넷에 연결된다.

2025년까지 발생 가능성 예상 응답자 89%

여전히 '무어의 법칙Moore's Law(일반적으로 프로세서 속도 또는 중앙처리장치 내 트랜지스터의 전체 수가 2년마다 두 배로 늘어난다는 것을 뜻함)'이 적용되고 있는 컴퓨팅 파워의 지속적 성장과 하드웨어 가격 인하로, 인터넷에 그 어떤 것을 연결하더라도 경제적인 부담 없이 가능해졌다. 이미 지능적 센서는 상당히 경쟁력 있는 가격에 구매할 수 있다. 결국 모든 물건은 스마트해지고 인터넷에 연결되어 통신능력이 높아졌으며, 분석능력이 향상되어 새로운 데이터를 활용한 서비스 역시 가능해지고 있다.

최근 한 연구에서 동물의 건강과 행동양식을 모니터하는 데 센서를 활용할 수 있는지 살펴봤다.[89] 이 연구는 소에 연결된 센서가 어떻게 모바일폰 네트워크를 통해 서로 정보를 교환하며, 소의 상태에 대한 실시간 데이터를 어디에서든 제공할 수 있는지를 보여준다.

전문가들은 미래에는 모든 (실물) 상품이 유비쿼터스 통신 기반시설Ubiquitous communication infrastructure로 연결되고, 사람들은 어디에나 존재하는 센서를 통해 자신이 처한 환경과 상황에 대해 정확히 인식할 수 있게 될 것이라고 암시한다.

■ 긍정적 효과

- 자원 활용의 효율성이 증가한다.
- 생산성이 증가한다.
- 삶의 질이 향상된다.
- 환경에 긍정적 영향을 준다.
- 서비스 제공의 가격이 인하된다.
- 자원 활용과 상황에 대한 투명성이 증가한다.
- (비행기, 식품 등의) 안정성이 증가한다.
- (로지스틱스logistics · 물류) 효율성이 늘어난다.
- 저장 공간과 대역폭에 대한 수요가 증가한다.
- 노동시장과 노동시장에서 요구하는 능력에 변화가 일어난다.
- 새로운 비즈니스가 창출된다.

– 표준 통신 네트워크상에서도 실시간 하드 애플리케이션이 실현 가능하다.
– 상품의 디자인이 '디지털로 연결 가능한' 방식으로 전환된다.
– 상품에 더해 디지털 서비스가 추가적으로 제공된다.
– 디지털 트윈Digital Twin(현실과 똑같은 가상의 제품을 구현하는 기술–옮긴이 주)이 제공한 정밀 데이터로 모니터링, 통제, 예측이 가능하다.
– 디지털 트윈이 사업, 정보, 사회 과정에 적극적인 참여자가 된다.
– 사물이 주변 환경에 대해 포괄적으로 인지하고 그에 따라 독자적으로 대응하고 행동한다.
– 연결된 '스마트' 사물을 통해 가치와 추가적인 지식이 발생한다.

■ **부정적 효과**
– 사생활 침해가 일어난다.
– 비숙련 노동력의 일자리가 감소한다.
– 해킹, 보안 위협(예를 들어 공익사업 및 사회기반 시설에 대한 위협)에 노출된다.
– 더 복잡해지고 통제력을 상실한다.

■ **예측 불가능한 영역**
– 비즈니스 모델이 자산의 소유가 아닌 임대·사용(서비스로서의 가전제품)의 개념으로 변한다.
– 데이터의 가치가 비즈니스 모델에 영향을 미친다.

- 모든 기업은 잠재적 소프트웨어 기업이다.

- 새로운 비즈니스는 데이터를 판매하는 영역이다.

- 사생활에 대한 기존의 인식 체계에 전환이 생긴다.

- 정보통신기술에 관한 사회기반시설이 광범위하게 분포된다.

- 지식작업(예를 들어, 분석, 평가, 진단 등)이 자동화된다.

- 잠재적 '디지털 진주만 습격'의 결과로 피해가 생긴다. (예: 디지털 해커 또는 테러리스트가 사회기반시설을 마비시켜 식료품과 연료, 전기를 몇 주간 차단한다.)

- 자동차, 기계, 도구, 장비, 사회기반시설 등의 활용률이 높아진다.

■ **현재 동향**

- 포드자동차GT에는 컴퓨터 코드가 내장된 1,000만 개의 라인이 있다.[90]

- 유명한 폭스바겐 사의 자동차 라인 골프Golf의 신모델은 54개의 컴퓨터 처리장치가 내장되어 있고, 자동차 한 대에 700개나 되는 데이터 포인트가 있으며, 자동차당 6기가바이트를 만들어낸다.[91]

- 500억 개 이상의 기기가 2020년까지 인터넷에 연결될 것으로 예상된다. 심지어 은하수에도 고작 2,000억 개 가량의 항성이 있을 뿐이다.

- 세계적인 전기, 전력부품 제조업체인 이턴코퍼레이션Eaton Corporation 은 호스의 수명을 감지하는 센서를 특정 고압호스에 내장해, 위험한 사고의 발생 가능성을 낮추고, 호스가 주요 부품인 장비의 고장

에 따른 작동불능 상태, 즉 다운타임으로 초래되는 높은 비용의 발
생을 줄이고자 하였다.[92]

- BMW는 작년에 이미 전 세계 자동차의 8퍼센트 또는 8,400만 대
가 어떤 방식으로든 인터넷과 연결되고 있다고 발표했다. 이 수치는
2020년까지 22퍼센트 또는 2억 9,000만 대로 증가할 것이다.[93]

- 보험회사인 애트나Aetna는 카펫에 센서를 달아 뇌졸중 환자를 도울
방법에 대해 고민하고 있다. 센서가 걸음걸이의 변화를 감지해 물
리치료사가 집에 방문할 수 있도록 하는 방식이다.[94]

커넥티드 홈(Connected Home)
the fourth industrial revolution

티핑 포인트 (오락, 취미용 기기나 통신기기가 아닌) 가정용 기기에 50% 이상의 인터넷 트래픽이 몰리게 된다.

2025년까지 발생 가능성 예상 응답자 70%

20세기에는 가정에 연결된 대부분의 전력이 개인의 직접적 소비(전등)를 위한 것이었다. 그러나 시간이 흐르면서 이런 직접적 소비와 기타 필요에 의해 소비되는 전력량은 토스터나 식기세척기부터 텔레비전과 에어컨디셔너까지 훨씬 복잡한 기기들의 전력 소모 때문에 그 비중이 줄어들게 되었다.

인터넷 역시 이와 동일한 현상을 나타내고 있다. 현재 가정용 트래

픽은 통신수단과 오락, 취미 목적의 개인적 소비가 대부분이다. 이제
는 가정의 자동화가 매우 빠르게 발달하며 전등과 블라인드, 환기와
에어 컨디셔닝, 오디오, 비디오, 보안 시스템 및 가전제품을 작동시키
고 조절하는 데 사용되고 있다. 또한 연결된 로봇의 추가적인 도움으
로, 예를 들면 진공청소기와 같은 더욱 다양한 서비스를 제공받을 수
있게 되었다.

- **긍정적 영향**
  - (에너지 소모와 비용이 낮아져) 자원의 효율성이 높아진다.
  - 안락함이 증가한다.
  - 안전과 보안이 증가하고, 침입자를 추적할 수 있다.
  - 정보 보호를 위해 접근이 제어된다.
  - 홈셰어링이 생긴다.
  - (청년과 노년층, 장애인의) 독립적인 생활이 가능해진다.
  - 고객 맞춤형 광고와 비즈니스의 전반적 효과가 증가한다.
  - (투약 과정 모니터링을 통해 입원 기간과 의사의 왕진 횟수가 감소함에 따라)
    건강관리 시스템의 비용이 절감된다.
  - (실시간) 모니터링과 비디오 녹화가 가능하다.
  - 경고, 경보신호, 긴급요청이 가능하다.
  - 가스 밸브 잠그기와 같은 집 안 상황을 원격으로 조정할 수 있다.

■ **부정적 영향**

 − 사생활 침해가 있을 수 있다.

 − 감시받을 수 있다.

 − 사이버 공격, 범죄 그리고 취약성이 증가한다.

■ **예측 불가능한 영역**

 − 노동인구에 영향을 미친다.

 − 업무장소의 변화로 재택근무가 늘어날 수도 있고, 외택근무가 늘어날 수도 있다.

 − 사생활과 데이터 소유권의 이슈가 생긴다.

■ **현재 동향**

가정에서 활용되는 기술 발전의 예가 씨넷닷컴(cnet.com)에서 아래와 같이 소개되었다.

"인터넷으로 연결된 온도조절장치와 연기 탐지기를 만든 네스트Nest 는 (2014년) '웍스 위드 네스트Works with Nest'라는 개발자 프로그램을 발표해 다른 여러 기업들의 상품에 해당 소프트웨어가 호환될 수 있도록 했다. 가령 메르세데스 벤츠와 파트너십을 맺는다면, 자동차가 네스트에 정보를 보내 집 안 난방기기를 켜 운전자가 집에 도착하면 따뜻해질 수 있도록 하는 식이다.

결과적으로 네스트와 같은 허브는 우리가 필요한 게 무엇인지 집으로 전송해 집 안의 모든 사물을 자동으로 조절하게 도와줄 것이다.

결국 기기들은 집 안으로 흡수되어 단일 허브를 통해 통제되는 센서와 기기로서의 역할만 하게 될 것이다."[95]

스마트 도시

the fourth industrial revolution

티핑 포인트 5만 명 이상이 거주하나 신호등이 하나도 없는 도시가 최초로 등장한다.

2025년까지 발생 가능성 예상 응답자 64%

많은 도시들이 서비스와 공공 사업, 도로를 인터넷과 연결되도록 할 것이다. 이런 스마트 도시들은 에너지와 물자흐름, 로지스틱스와 교통상황을 관리할 수 있다. 싱가포르와 바르셀로나 같은 진보적인 도시는 이미 주차 해결, 쓰레기 수거, 가로등 시스템 등에 '스마트하고 지능적인 기능'을 적용해, 다양하고 새로운 데이터 기반 서비스를 실행하고 있다. 스마트 도시는 지속적으로 센서 기술 네트워크를 확산시키고 데이터 플랫폼을 구축하고 있다. 이것은 데이터 분석과 예측 모델링을 통해 여러 과학기술 기반 프로젝트를 연결하고 미래의 서비스를 추가할 수 있는 핵심 기술이 될 것이다.

- **긍정적 효과**
  - 자원 활용의 효율성이 증가한다.
  - 생산성이 증가한다.
  - 인구밀도가 증가한다.
  - 삶의 질이 향상된다.
  - 환경에 긍정적인 영향을 준다.
  - 일반 대중의 자원 접근성이 증가한다.
  - 서비스 제공 가격이 저렴해진다.
  - 자원 활용과 상황에 대한 투명성이 증가한다.
  - 범죄가 감소한다.
  - 기후 친화적인 에너지 생산과 소비가 이뤄진다.
  - 상품 생산이 분산된다.
  - (기후 변화의 영향에 대한) 회복력이 증가한다.
  - (공기, 소음 등) 오염이 감소한다.
  - 교육에 대한 접근성이 향상된다.
  - 시장에 대한 빠른 접근이 가능하다.
  - 고용이 증가한다.
  - 전자정부가 더 스마트해진다.

■ **부정적 효과**

  – 사생활 침해와 감시의 가능성이 있다.

  – (블랙아웃 사태 등) 에너지 시스템 오류 시 전체 도시가 붕괴될 위험

  이 있다.

  – 사이버 공격에 대한 취약성이 증가한다.

■ **예측 불가능한 영역**

  – 도시의 문화와 분위기에 영향을 미친다.

  – 도시의 체질에 변화가 생긴다.

■ **현재 동향**

스페인 북부의 산탄데르Santander 시에는 2만 개의 센서가 빌딩과 사
회기반기설, 교통, 네트워크와 공익사업에 걸쳐 연결되어 있다. 산탄
데르 시는 상호작용 및 관리 프로토콜과 같은 기능성 실험과 검증의
장소이자, 부품 개발 기술 외에도 계정 관리 및 보안과 같은 지원 서
비스를 실험해볼 수 있는 물리적 장소를 제공하고 있다.[96]

빅 데이터를 활용한 의사결정

the fourth industrial revolution

티핑 포인트 인구조사를 위해 인구 센서스census 대신 빅 데이터를 활용하는 최초의 정부가 등장한다.

2025년까지 발생 가능성 예상 응답자 83%

커뮤니티에 관한 데이터는 그 어느 때보다도 넘쳐나고 있다. 이러한 데이터를 이해하고 관리하는 능력 역시 계속 향상되고 있다. 정부는 기존에 데이터를 수집하는 방식이 더는 효율적이지 않다는 점을 인식하기 시작했고, 현재 프로그램을 자동화해 국민에게 서비스를 제공할 수 있는 새롭고 혁신적인 방법을 찾기 위해 빅 데이터 기술로 관심을 돌릴 수도 있을 것이다.

빅 데이터를 활용하면 광범위한 산업 분야와 애플리케이션에서 더욱 빠르고 나은 의사결정이 가능해질 것이다. 의사결정의 자동화를 통해 시민의 번거로움이 줄어들고, 기업과 정부는 고객과의 상호작용에서부터 자동화된 세금 신고 및 납부까지 모든 것에 관해 실시간 서비스를 지원할 수 있게 된다.

빅 데이터를 기반으로 한 의사결정에는 커다란 위험과 기회가 따른다. 의사결정을 위해 활용되는 데이터와 알고리즘에 대한 신뢰를 구축하는 것이 가장 중요한 일이다. 사생활 침해에 대한 시민의 우려를 낮추고 기업과 법률 구조의 책임성accountability을 확립하기 위해서는, 데이터를 사용할 때 개인정보를 수집(프로파일링)하지 못하게 막고, 예기치 않은 결과를 발생시키지 않도록 명확한 가이드라인을 만들어야 한다. 또한 생각의 전환 역시 필요할 것이다. 현재의 시스템에서 빅 데이터 방식으로 전환하는 과정에서 일자리가 사라질 수 있고, 오늘날 수작업으로 처리되는 과정을 대체하기 위해 빅 데이터를 활용하는 것이 특정 일자리를 사라지게 할 수도 있다. 그러나 빅 데이터의 활용은 지금은 시장에 존재하지 않는 새로운 직군과 기회를 창출할 수도 있다.

■ 긍정적 영향

- 더욱 효율적이고 빠른 의사결정이 가능하다.
- 실시간 의사결정이 늘어난다.
- 혁신을 위해 오픈 데이터가 증가한다.

- 변호사의 일자리가 늘어난다.

- 시민을 위해 과정의 복잡함은 줄이고 효율성은 늘린다.

- 비용이 절감된다.

- 새로운 직업이 등장한다.

■ **부정적 영향**

- 일자리가 감소한다.

- 사생활 침해의 우려가 있다.

- 책임소재가 불분명하다. (예: 알고리즘을 소유하는 사람은 누구인가?)

- 신뢰성에 문제가 생긴다. (예: 데이터를 믿을 수 있을까?)

- 알고리즘을 쟁취하려는 치열한 경쟁이 생긴다.

■ **예측 불가능한 영역**

- 개인정보 수집이 가능해진다.

- 규제, 비즈니스, 그리고 법률 구조에 변화가 생긴다.

■ **현재 동향**

- 기업의 종류에 관계없이 모든 기업이 보유하고 있는 데이터의 규모는 매 14.4개월마다 두 배로 증가하고 있다.[97]

- 미국 아이오와 주에서 인도에 이르기까지, 많은 농부들이 어떤 작물을 언제 심을지 결정하고, 농장에서 식탁에 오르기까지 식품의 신선도를 추적하며, 기후의 변화에 어떻게 적응할 것인지에 관해

더 나은 결정을 내리기 위해 씨앗과 인공위성, 센서, 트랙터의 데이터를 활용한다.[98]

- 외식을 하는 사람들에게 비위생적인 음식점에 관한 정보를 제공하기 위해서 샌프란시스코는 생활정보 리뷰서비스 업체인 '옐프'와 성공적인 협력을 통해, 옐프 사이트의 음식점 리뷰 페이지에 위생점검 데이터를 연계한 실험을 했다. 예를 들어 '타코스 엘 프리모 Tacos El Primo' 음식점 페이지를 열면, 위생 평가 100점 만점에 98점이란 점수를 확인할 수 있다. 옐프의 순위 평가는 상당한 영향력이 있다. 시민들에게 식품위해에 관한 시의 대변인 역할을 한다. 그 외에도 여러 차례 위생 관련 사항을 준수하지 않은 음식점에게 망신을 주는 효과를 발휘해 위생 기준을 준수하도록 만드는 좋은 방법이다.[99]

자율주행자동차

the fourth industrial revolution

티핑 포인트 미국 도로를 달리는 차들 가운데 10%가 자율주행자동차다. 2025년까지 발생 가능성 예상 응답자 79%

아우디Audi와 구글 같은 대기업은 이미 자율주행자동차를 실험하고 있고, 다른 여러 기업들 역시 새로운 솔루션을 개발하기 위해 지속적으로 노력하고 있다. 자율주행자동차는 사람이 운전대를 잡고 있는 차보다 더욱 효율적이고 안전할 수도 있다. 더욱이 자율주행자동차가 교통 혼잡을 줄이고 배기가스 발생을 낮출 수 있으며, 현재의 교통기관과 물류 시스템을 완전히 뒤바꿔놓을 수도 있다.

- **긍정적 영향**

  - 안전성이 강화된다.

  - 업무나 미디어 콘텐츠에 집중할 수 있는 시간이 증가한다.

  - 환경에 긍정적인 영향을 미친다.

  - 운전하며 발생하는 스트레스와 분노가 감소한다.

  - 노년층과 장애인들의 이동성이 향상된다.

  - 전기자동차가 도입된다.

- **부정적 영향**

  - (택시와 트럭 운전사, 자동차 산업 등) 일자리가 감소한다.

  - 자동차 보험과 긴급출동 서비스가 변화한다. (예: 직접 운전한다면 돈을 더 내셔야 합니다.)

  - 도로 교통 위반으로 발생하는 세수가 감소한다.

  - 자동차 수요가 줄어든다.

  - 운전에 대한 법률 구조가 변한다.

  - (사람은 고속도로에서 운전하지 못하게 되는) 자동화에 반대하는 탄원 운동이 발생한다.

  - 해킹과 같은 사이버 공격이 발생한다.

- **현재 동향**

  - 2015년 10월, 테슬라는 지난 몇 년간 미국에서 팔린 자동차를 소프트웨어 업데이트로 반자동화시켰다.[100]

- 구글은 2020년 자율주행자동차를 상용화할 계획이다.[101]

- 2015년 여름, 두 명의 해커가 자동차의 모든 엔터테인먼트 시스템에 접근해 주행 중인 자율주행자동차의 대시보드 기능과 핸들, 브레이크 등을 해킹할 수 있음을 보여줬다.[102]

- 네바다 주는 2012년 미국에서 처음으로 자율주행자동차의 운행을 허용하는 법률을 통과시켰다.[103]

인공지능과 의사결정

티핑 포인트 기업 이사회에 인공지능 기계가 최초로 등장한다.
2025년까지 발생 가능성 예상 응답자 45%

인공지능은 자동차 운전뿐 아니라 조언을 제공하기 위해 과거의 상황을 통해 학습하고 미래의 복잡한 의사결정 과정을 자동화하여 데이터와 과거의 경험을 바탕으로 더욱 쉽고 빠르게 결정을 내릴 수 있게 해준다.

- **긍정적 영향**
  - 데이터를 활용한 합리적 결정이 가능해진다. 편견이 줄어든다.

- '비이성적 과열'이 사라진다.
- 시대에 뒤쳐진 관료제를 개편한다.
- 새로운 일자리와 혁신이 증가한다.
- 에너지 자립도가 증가한다.
- 의료과학 및 질병 퇴치 기술이 발달한다.

■ **부정적 영향**

- 책임소재가 불분명해진다. (예: 수탁자의 권리와 법률적 책임은 누가 지게 될 것인가?)
- 기존의 일자리가 감소한다.
- 해킹과 같은 사이버 범죄가 증가한다.
- 책임, 의무, 거버넌스governance의 소재 파악이 어려워진다.
- (인공지능이 내린 결정을) 점점 이해하기 어려워진다.
- 불평등이 심화된다.
- '알고리즘과의 마찰'이 생긴다.
- 인류의 존재에 대한 위협이 생긴다.

■ **현재 동향**

- 언어 인공지능인 컨셉넷4ConceptNet4가 최근 아이큐 테스트를 치뤘다. 3년 전 테스트에서는 한 살 어린아이의 지능에도 미치지 못했던 것에 반해, 이번에는 대부분의 네 살 어린아이의 지능보다 높다는 결과가 나왔다. 얼마 전에 완성된 최신 버전은 대여섯 살 어린아

이의 지능 수준을 보일 것으로 예측된다.[104]

– 만약 무어의 법칙이 지난 30년 동안 발전해왔던 것처럼 앞으로도 그 발전 속도를 유지한다면, 2025년에는 CPU의 처리 능력이 인간의 뇌 수준으로 올라올 것이다. 생명과학, 암 연구, 노화에 따른 질병, 재생의학 분야에 투자하는 홍콩의 투자 금융회사 딥날리지 벤처스Deep Knowledge Ventures는 바이탈VITAL, Validating Investment Tool for Advancing Life Sciences이라고 불리는 인공지능 알고리즘을 이사로 임명했다.[105]

인공지능과 화이트칼라

the fourth industrial revolution

티핑 포인트 인공지능이 기업 감사의 30%를 수행한다.

2025년까지 발생 가능성 예상 응답자 75%

인공지능은 패턴 매칭과 업무처리의 자동화와 같은 장점이 있다. 이런 장점 덕분에 인공지능은 큰 조직에서 여러 기능을 수행할 수 있다. 미래에는 지금 인간이 하고 있는 다양한 기능을 인공지능이 대체하는 모습을 떠올릴 수 있다.

옥스퍼드 대학교 마틴 스쿨Oxford Martin School에서 진행한 연구에서 인공지능과 로봇공학의 컴퓨터화化에 민감한 직업에 대해 조사했는데[106], 일부 정신이 번쩍 드는 결과가 나왔다. 연구팀은 앞으로 10년에서 20년 사이에 2010년 미국에 존재한 직업군 가운데 많게는 47퍼센트까지 자동화될 것이라고 예상했다([표8] 참고).

⊙ 표8. 컴퓨터화 확률에 따른 미국 직업별 고용 분포도

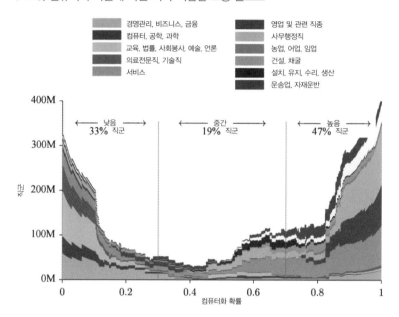

출처: 카를 베네딕트 프레이와 마이클 오스본, "고용의 미래: 우리의 직업은 컴퓨터화에 얼마나 민감한가? (The Future of Employment: How Susceptible Are Jobs to Computerisation?)", 2013년 9월 17일

■ **긍정적 효과**

　　- 비용이 감소한다.

　　- 효율성이 높아진다.

　　- (진입 장벽이 낮아지고, 모든 것이 '서비스형 소프트웨어'로 전환됨에 따라) 소규모 기업과 스타트업에게 혁신과 기회를 제공한다.

- **부정적 효과**

  – 일자리가 감소한다.

  – 책임과 의무가 불분명하다.

  – 법에 변화가 생기고, 재산공개 및 위험성이 높아진다.

  – 일자리가 자동화된다.

- **현재 동향**

《포춘FORTUNE》 지에서 자동화의 발달에 대해 아래와 같이 소개한 바 있다.

"TV 게임쇼 프로그램인 〈제퍼디Jeopardy!〉에서 뛰어난 실력을 보여주 었던 IBM의 인공지능 왓슨은 이미 의사보다 폐암 진단 능력이 훨씬 정확하다. 몇 가지 테스트를 통해 왓슨이 90퍼센트의 적중률을 보인 반면, 의사의 경우 50퍼센트의 정확도를 나타냈다. 데이터 덕분이었 다. 의사의 경우 새로운 의료 데이터를 습득하는 데 일주일에 160시 간이 필요하기 때문에, 진단의 정확성을 높일 수 있는 새로운 통찰력 혹은 심지어 임상적 증거의 핵심마저 현실적으로 모두 검토할 수 없 다. 외과 의사들은 이미 저底침습적 치료에는 자동화 시스템을 활용 하고 있다."[107]

로봇공학과 서비스

the fourth industrial revolution

티핑 포인트 미국 최초의 로봇 약사가 등장한다.

2025년까지 발생 가능성 예상 응답자 86%

로봇공학은 제조업부터 농업, 소매업에서 서비스업까지 다양한 일자리에 영향을 끼치기 시작했다. 국제로봇협회International Federation of Robotics에 따르면 전 세계적으로 110만의 일하는 로봇이 있고, 자동차 제조 과정의 80퍼센트를 기계가 처리하고 있다.[108] 로봇은 더욱 효율적이고 예측 가능한 비즈니스 결과를 도출할 수 있도록 공급망을 간소화하고 있다.

- **긍정적 효과**

  – 공급 체인과 물류 과정이 단축되거나 없어진다.

  – 더 많은 여가 시간을 확보할 수 있다.

  – 빅 데이터를 활용한 약학 연구 및 개발의 성과 등으로 건강 상태가 좋아진다.

  – 은행의 현금자동인출기기ATM는 이미 도입된 자동화 시스템의 좋은 예다.

  – 재료에 대한 접근성이 높아진다.

  – 생산 '리쇼어링'이 발생한다. (예: 외국인 노동자를 로봇으로 대체)

- **부정적 효과**

  – 일자리가 감소한다.

  – 책임과 의무가 불분명하다.

  – 일상적 사회 규범과 기존의 업무시간(오전 9시~오후 6시)이 변경되고, 24시간 서비스가 생긴다.

  – 해킹과 사이버 위험성이 증가한다.

- **현재 동향**

  다음은 시엔비시닷컴(CNBC.com)에 소개된 《피스칼 타임스The Fiscal Times》의 기사 일부다.

  "리씽크 로보틱스Rethink Robotics가 (2012년 가을) 산업용 로봇 백스터 Baxter를 출시하자 제조업계는 뜨거운 반응을 보였다. 리씽크 로보틱스는 올(2013년) 4월까지 생산한 모든 벡스터 로봇을 판매했다. (⋯) (4월) 리씽크는 백스터가 더욱 복잡한 일을 수행할 수 있도록 새로운 소프트웨어 플랫폼을 출시했다. 예를 들어 부품을 집어 올려 검사대 앞으로 가져간 후 신호를 받으면 부품을 '정상'과 '결함'으로 구별해 놓을 수 있게 되었다. 리씽크는 또한 소프트웨어 개발 키트kit도 출시했다. (⋯) 이 키트를 활용해 대학의 로봇공학 연구자들과 같은 제3자가 백스터에 호환되는 애플리케이션을 만들어낼 수 있다."[109]

비트코인과 블록체인

the fourth industrial revolution

티핑 포인트 전 세계 GDP의 10%가 블록체인 기술에 저장된다.

2025년까지 발생 가능성 예상 응답자 58%

비트코인과 디지털 화폐는 분산된 방식으로 거래를 기록해 신뢰성을 높이는 '블록체인'이라고 불리는 분산식 신탁 메커니즘에서 비롯되었다. 현재 블록체인 내 비트코인의 총 가치는 200억 달러 정도로, 이는 80조 달러에 이르는 전 세계 GDP의 약 0.025퍼센트에 해당한다.

■ **긍정적 효과**

  – 블록체인의 금융서비스가 필요한 일정 수준에 도달했기 때문에 신
    흥시장의 금융 포용성이 확대된다.

  – 블록체인을 통해 새로운 서비스와 가치의 교환이 직접적으로 이뤄
    지기 때문에 금융의 탈중개화disintermediation가 발생한다.

  – 블록체인 내 다양한 가치의 교환이 가능해지면서 거래 가능한 자
    산이 폭발적으로 증가한다.

  – 신흥시장에서 재산을 기록하는 방식이 개선되고, 모든 것이 거래
    가능한 자산으로 전환된다.

  – 계약과 법률서비스는 앞으로 점점 더 블록체인과 연결된 암호로
    연계된다. 따라서 침투할 수 없는 안전한 에스크로 서비스 혹은 프
    로그램으로 설계된 스마트 계약으로 활용된다.

  – 블록체인이 기본적으로 모든 거래가 저장되는 글로벌 거래원장 역
    할을 하면서 투명성이 증가한다.

■ **현재 동향**

  스마트콘트랙츠닷컴(smartcontracts.com)은 일정 조건을 만족하면 중개
  인 없이 양측의 거래가 성사되도록 프로그래밍된 스마트 계약을 선보
  였다. 스마트 계약은 '자동발효 계약상태self-executing contractual states'로
  블록체인에 보장되기 때문에, 계약 당사자들이 합의하기 위해 타인에
  게 의존하는 위험을 없앤다.

공유경제

the fourth industrial revolution

티핑 포인트 전 세계적으로 자가용보다 카셰어링을 통한 여행이 더욱 많아진다.

2025년까지 발생 가능성 예상 응답자 67%

공유경제에 대한 일반적 개념은 독립체(개인 혹은 조직)가 과학기술을 활용해 이전에는 지금만큼 효율적이지 않았거나 혹은 가능하지 않았던 수준의 실물 재화·자산을 공유하거나, 서비스를 공유·제공하는 것을 의미한다. 재화와 서비스의 공유는 보통 온라인 시장, 모바일 애플리케이션·위치 기반 서비스 혹은 여타 기술 기반 플랫폼을 통해 이루어진다. 이런 방법들을 활용하면 시스템 내 거래비용과 마찰을 줄여 참여한 모든 관계자들에게 경제적 이익이 발생하고, 그 경제적 이익은 훨씬 더 미세한 단위로 나눌 수 있다.

공유경제의 대표적인 예는 교통 부문에서 찾을 수 있다. 집카Zipcar는 사람들이 기존의 렌터카 업체보다 짧은 시간 동안 더욱 합리적인 조건으로 자동차를 공유할 수 있는 방법을 제시했다. 릴레이라이즈 RelayRides는 일정 기간 동안 자신의 자동차를 타인에게 빌려주거나 타인 소유의 자동차를 빌릴 수 있는 플랫폼을 만들었다. 우버와 리프트Lyft는 훨씬 더 효율적인 '택시' 개념으로, 위치기반 서비스와 모바일 애플리케이션을 활용한 서비스로 통합된 형태이다. 게다가 우리가 필요할 때 즉시 사용이 가능한 이점도 있다.

공유경제의 구성요소나 특징 혹은 공유경제를 설명하는 개념은 다양하다. 기술 기반, 소유보다는 접근성 선호, P2P, 개인자산(법인자산이 아닌)의 공유, 접근의 용이함, 사회적 상호작용 증가, 협력적 소비, 공유 관계자들 간의 열린 피드백(신뢰도 향상을 가져옴) 등이 공유경제의 특징이다.

그러나 이는 모든 형태의 '공유경제' 거래에 해당되는 것은 아니다.

■ **긍정적 효과**

- 도구 및 유용한 실물 자원에 대한 접근성이 증가한다.
- (거래 과정에서 필요한 생산과 자산이 줄어듦으로써) 환경에 유익한 결과를 가져온다.
- 고객 맞춤형 서비스가 늘어난다.

- 현금흐름에 의지해 생활할 수 있는 능력이 향상된다. (즉, 자산을 이용하려는 목적으로 저축할 필요가 줄어든다.)
- 자산 활용률이 좋아진다.
- 공개된 직접적 피드백 회로 덕분에 장기적으로 신뢰를 남용할 수 있는 가능성이 줄어든다.
- 2차적 경제가 창출된다. (예: 우버 운전자가 상품 혹은 식품 배달을 한다.)

■ **부정적 효과**

- (저축 감소 때문에) 실직 이후 회복력이 저하된다.
- 계약직(일반적인 안정적 장기 고용과 상대되는 개념), 과제 기반 노동이 증가한다.
- 공유경제라는 잠재적 회색경제의 규모를 측정할 수 있는 능력이 저하된다.
- 단기적으로 신뢰를 남용할 수 있는 기회가 증가한다.
- 시스템 내 투자 가능한 자본이 줄어든다.

■ **예측 불가능한 영역**

- 재산과 자산의 소유권에 대한 인식이 변화한다.
- 가입형 모델이 증가한다.
- 저축이 줄어든다.
- '부wealth'와 '잘산다well off'는 의미의 명확성이 떨어진다.
- 일자리의 구성 요소에 대한 명확성이 떨어진다.

– 공유경제라는 잠재적 회색경제 규모를 측정하기가 어렵다.

– 소유와 판매에 기반한 모델에서 활용에 기반한 모델로 전환됨에 따른 과세제도와 규정의 조정이 필요하다.

■ **현재 동향**

공유경제에서 '소유'에 대한 개념은 특별하다. 아래 질문에 그 특징이 잘 반영되어 있다.

– 가장 큰 소매기업이지만 단 하나의 매장도 소유하지 않은 기업은?

'아마존'

– 가장 큰 숙박시설 제공업체이지만 단 한 채의 호텔도 소유하지 않은 기업은?

'에어비앤비'

– 가장 큰 운송업체이지만 단 한 대의 차량도 소유하지 않은 기업은?

'우버'

정부와 블록체인

the fourth industrial revolution

티핑 포인트 블록체인을 통해 세금을 징수하는 최초의 정부가 등장한다.
2025년까지 발생 가능성 예상 응답자 73%

블록체인은 국가에게 기회와 도전과제를 함께 제시한다. 어떤 중앙
은행에 의해서도 규제되지 않고 감독 받지 않기 때문에 통화정책에
대한 국가의 지배력이 감소함을 의미한다. 반면, 블록체인 자체 시스템
안에 (예를 들어, 소액거래세 같은) 새로운 과세 구조를 내장할 수 있다.

- **예측 불가능한 영역**
  – 통화정책에 대한 중앙은행의 역할이 줄어들 수 있다.

- 부패에 노출될 수 있다.

- 실시간 과세가 발생할 수 있다.

- 정부의 역할이 축소될 수 있다.

■ **현재 동향**

2015년 등장한 최초의 가상 국가, 비트네이션BitNation은 블록체인 기술을 이용해 신원을 확인하고 시민의 신분증을 발급했다. 동시에 에스토니아Estonia는 블록체인 기술을 활용한 최초의 정부가 되었다.[120]

3D 프린팅 기술과 제조업

the fourth industrial revolution

티핑 포인트 3D 프린터로 제작된 자동차가 최초로 생산된다.

2025년까지 발생 가능성 예상 응답자 84%

적층가공이라 불리는 3D 프린팅은 입체적으로 만들어진 3D 디지털 설계도나 모델에 원료를 층으로 쌓아 올려 물체를 만들어내는 기술이다. 얇게 썬 빵을 한 층씩 올려 빵 한 덩어리를 만드는 것과 비슷하다. 3D 프린팅 기술로 복잡하고 정교한 제품을 복잡한 장비 없이 만들 수 있게 된다.[111] 결국 플라스틱, 알루미늄, 스테인리스강, 세라믹 심지어는 다양한 첨단 재료를 사용할 수 있고, 예전에 공장 전체가 가동되어야 할 수 있는 일을 이제 3D 프린터가 해낼 수 있게 되었다.

이 기술은 이미 풍력 터빈 제조에서 장난감 제조까지 여러 분야에서 활용되고 있다.

시간이 흐를수록 3D 프린터는 현재 문제점으로 꼽히는 속도와 비용, 크기의 장애를 극복할 것이며, 더욱 널리 확산될 것이다. 가트너 Gartner 사가 개발한 '하이프 사이클Hype Cycle' 차트([표9] 참고)는 여러 단계의 3D 프린팅 능력과 단계별 시장 영향력에 대해 설명하고, 가장 활발하고 상업적인 기술의 활용 단계를 '기술의 재조명 시기slope of enlightenment'[112]로 소개하고 있다.

⊙ 표9. 3D 프린팅에 기술 하이프 사이클

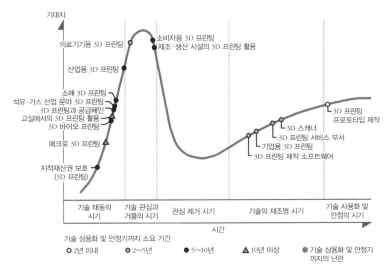

출처: 가트너(2014년 7월)

■ **긍정적 효과**

- 제품 발달이 가속화된다.

- 제품 디자인에서 제조까지의 사이클이 단축된다.

- (과거에는 불가능하거나 어려움이 많은 과정이었던) 복잡한 부품의 제조도 쉬워진다.

- 제품 디자이너의 수요가 증가한다.

- 교육기관에서 학습과 이해를 촉진할 목적으로 3D 프린팅을 활용한다.

- 제작·제조의 권력이 민주화된다. (단지 디자인에 의해서만 제한된다.)

- 기존의 대량 제조는 비용과 함께, 규모를 최소 생산 수준으로 줄여 새로운 도전에 대응한다.

- 다양한 물건을 인쇄할 오픈 소스 '설계도면'이 늘어난다.

- 프린팅 재료를 공급하는 새로운 산업 분야가 등장한다.

- 우주 분야에서 사업 기회가 늘어난다.[113]

- 수송 소요가 줄어들어 환경을 보호할 수 있다.

■ **부정적 효과**

- 처리할 쓰레기가 늘어나고 환경 부담이 증가한다.

- 얇은 층을 적층하는 과정에서 방향에 따라 물성이 다른 이방성을 지닌 부품이 생산된다. 다시 말해, 모든 방향에서 동일한 강도가 가해지지 않아 부품의 기능성을 제한할 수 있다.

- 파괴적 혁신의 영향을 받은 산업의 일자리를 잃게 된다.

- 지적 재산이 생산성을 창출하는 가장 중요한 가치의 원천이 된다.
- 저작권 침해가 발생한다.
- 브랜드와 상품의 품질을 보장할 수 없다.

■ **예측 불가능한 영역**

- 어떠한 혁신도 즉시 복제될 수 있는 가능성이 있다.

■ **현재 동향**

《포춘》지에서 제조업 분야 3D 프린팅 기술에 대해 최근에 보도한 내용은 다음과 같다.

"제너럴 일렉트릭General Electric의 제트 엔진인 립Leap은 GE의 베스트셀러 제품 중 하나일 뿐 아니라, 온전히 적층가공 기술로만 제작된 연료 노즐을 탑재할 예정이다. 3D 프린팅으로 알려진 이 과정은 정밀한 디지털 도면에 의거해 소재를 (GE의 연료 노즐의 경우 합금을 재료로 사용했다) 층으로 켜켜이 쌓아 물건을 제작한다. GE는 현재 새로운 립 엔진의 테스트를 완료하는 중이다. 그러나 적층가공 부품의 장점은 이미 다른 모델을 통해 증명된 바 있다."[114]

3D 프린팅 기술과 인간의 건강

the fourth industrial revolution

티핑 포인트 3D 프린터로 제작된 간이 최초로 이식된다.

2025년까지 발생 가능성 예상 응답자 76%

　언젠가는 3D 프린터가 물건뿐 아니라 인간의 장기까지도 제작하는 날이 올 수도 있다. 이를 바이오프린팅Bioprinting이라고 부른다. 물건을 프린트하는 것과 동일한 방식으로 장기 역시 3D 디지털 모델을 바탕으로 층층이 프린트된다.[115] 물론 장기 프린트에 사용되는 소재는 자전거를 프린트하는 데 쓰이는 소재와는 완전히 다를 것이다. 그리고 인공 뼈를 만드는 데 쓰이는 티타늄 파우더처럼 활용 가능한 재료에 대한 실험이 진행될 수 있다. 3D 프린팅 기술은 소비자 맞춤형 서비스를 제공할 가능성이 굉장히 높다. 그리고 인간의 신체보다 더 소비자 맞춤 기술이 필요한 분야는 없다.

■ **긍정적 효과**

- 부족한 장기 이식 문제를 해결한다. (장기 부족으로 집행될 수 없는 장기 이식을 기다리다 사망하는 환자가 하루 평균 스물한 명이다.)[116]
- 인공기관 프린팅으로 팔과 다리, 그리고 신체 부위를 교체할 수 있다.
- 병원에서 수술이 필요한 환자에게 부목, 붕대, 임플란트, 나사 등 맞춤형 프린팅을 제공한다.
- 개인 맞춤형 의료: 개인에 따라 조금씩 모양이 다른 신체 부위(예를 들어, 치아 크라운)에 적용할 3D 프린팅 기술이 가장 빠르게 성장한다.
- 트랜스듀서transducer와 같이 의료 기기용 프린팅 부품은 구하기 어렵고 비싸다.[117]
- 치아 임플란트, 심박조율기, 골절 치료용 펜 등을 수입하는 대신 지역 병원에서 직접 프린트하여 수술 비용을 절감한다.
- 3D 프린팅으로 완벽하게 재현된 장기 활용으로 실제 인간 장기에 할 수 있는 약물검사에 근본적인 변화가 일어난다.
- 3D 프린팅으로 식량을 만들어서 식량 안보가 개선된다.

■ **부정적 효과**

- 인체 부위, 의료기기 혹은 식량이 통제나 규제를 받지 않고 생산될 수 있다.
- 처리할 쓰레기가 증가하고 환경 부담이 증가한다.
- 인간의 신체 일부를 프린트하는 데 따르는 윤리적 쟁점이 발생한다. (예: 누가 제조를 통제할 것인가? 인쇄된 장기의 질은 누가 보장할 것인가?)
- 건강 유지에 대한 의욕을 비정상적으로 꺾는다. (예: 모든 것이 대체될 수 있다면 굳이 건강한 삶의 방식을 유지할 필요가 있을까?)
- 식량 3D 프린팅이 농업에 영향을 미친다.

■ **현재 동향**

《파퓰러 사이언스Popular Science》를 통해 3D 프린터로 척추뼈 이식에 성공한 이야기가 다음과 같이 소개되었다.

"(2014년) 베이징 대학교 제3병원Peking University Third Hospital에서 최초로 3D 프린팅 기술을 활용해 목에 척추암이 발생한 어린 환자의 척추뼈 이식에 성공했다. 이식된 부분은 소년의 척추 일부를 모델로 제작되었기 때문에 거부 없이 합체될 수 있었다."[118]

3D 프린팅 기술과 소비자 제품

the fourth industrial revolution

티핑 포인트 소비자 제품 가운데 5%는 3D 프린터로 제작된다.

2025년까지 발생 가능성 예상 응답자 : 81%

3D 프린팅은 3D 프린터만 있으면 누구나 제작할 수 있다는 특성 덕분에 일반 소비자들은 매장에 가서 물건을 구입하는 대신에 필요할 때 직접 물건을 제작할 수 있는 기회가 커졌다. 3D 프린터는 결국 회사용 기기 혹은 가전제품으로 활용될 것이다. 이로 인해 소비자가 소비재에 접근하는 비용은 낮아지고 3D 프린터로 제작된 물건의 효용성은 높아지게 된다. 최근 3D 프린팅 기술의 활용은 소비자 제품을 개발하고 제작하는 다양한 분야에 활용되고 있다([표10] 참고).

⊙ 표10. 다양한 분야에서 활용되는 3D 프린팅 기술

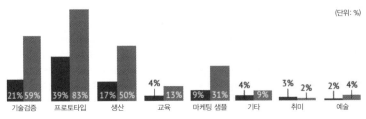

(단위: %)

기술검증 21% 59%
프로토타입 39% 83%
생산 17% 50%
교육 4% 13%
마케팅 샘플 9% 31%
기타 4% 9%
취미 3% 2%
예술 2% 4%

주·스컬프테오(Sculpteo) 사에서 진행한 설문 응답자 비율을 나타냄.

■ 전체   ■ 핵심 사용자

출처: 스컬프테오, 3D 프린팅 기술의 상황(1000명을 상대로 진행한 설문조사),
헤드스트롬 J (Hedstrom, J) 소개, "3D 프린팅 기술의 상황...(The State of 3D Printing...)", 큐오라(Quora)[119]

■ 긍정적 효과

– 개인화된 상품과 개인 제작이 증가한다.

– 니치niche 상품의 제작 및 판매로 돈을 번다.

– 상품에 따라 고객에 맞게 조금씩 변형이 필요한 분야에서 3D 프린
팅 기술이 빠르게 성장한다. 예를 들어, 발 모양이 특이할 경우 특
수 사이즈 신발을 생산한다면 보다 발전된 프린팅 기술이 필요해
질 것이다.

– 물류비용이 감소하고, 이에 따른 막대한 에너지 절약 가능성이 생
긴다.[120]

– 많은 지역 활동에 기여한다. 또한 물류비용을 없애주는 직접 제작
이 가능하다.

■ **부정적 효과**

- 글로벌, 지역 공급 및 물류망에 대한 수요가 낮아져 일자리가 줄어든다.

- 총과 같이 남용의 소지가 높은 위험한 제품을 프린터로 제작할 수 있는 상황이 발생할 수 있기 때문에, 총기 규제 방안이 필요해진다.

- 처리할 쓰레기가 증가하고 환경에 대한 부담이 증가한다.

- 생산 조절, 소비자 규제, 무역장벽, 특허, 세금 및 기타 정부 규제에서 주요한 파괴적 혁신이 일어난다. 그리고 이에 적응하려는 힘겨운 노력이 필요하다.

■ **현재 동향**

2014년, 대략 13만 3,000대의 3D 프린터가 전 세계로 배달되었다. 2013년에 비해 68퍼센트가 상승한 수치다. 1만 달러 이하에 팔리는 3D 프린터의 대부분은 연구실, 학교, 소규모 제조업에서 사용하기에 적당하다. 그 결과, 3D 재료와 서비스 산업 분야의 규모가 확대되어 33억 달러 시장을 형성했다.[121]

맞춤형 아기(Designer Beings)[122]

the fourth industrial revolution

티핑 포인트 직접적이고 의도적으로 유전자가 편집된 최초의 인간이 탄생한다.

21세기에 접어들며 유전자 염기서열분석 비용이 여섯 자릿수나 떨어졌다. 2003년 최초로 전체 유전자 서열 방식을 밝힌 휴먼 게놈 프로젝트는 27억 달러의 비용이 들었다. 2009년에는 유전자 염기서열분석 건당 10만 달러가 소요됐고 오늘날에는 연구자가 유전자 염기서열분석을 위해 해당 분야 연구실에 지불해야 하는 비용이 고작 1천 달러에 불과하다. 유전자 편집 분야 역시 유전자 가위기술인 '크리스퍼'의 발전으로 유사한 추세를 보이고 있다. 크리스퍼는 기존의 방법에 비해 효율성이 뛰어나고 비용 또한 저렴해 널리 채택되었다.

따라서 진정한 혁신은 헌신적인 과학자들이 식물과 동물의 유전자를 편집할 수 있는 능력을 갑자기 얻게 된 것이 아니라, 염기서열분석 및 유전자 편집 기술의 발달로 그 과정이 굉장히 용이해진 데 있다. 이로 인해 이제는 실험을 진행할 수 있는 연구자들의 수가 크게 늘어났다.

- **■ 긍정적 효과**
  - 더욱 튼튼한 작물과 효과적이고 생산적인 관리 방법으로 농업 수확량이 증가한다.
  - 개인 맞춤형 의료를 통한 치료요법이 더욱 효율적이다.
  - 의료 진단이 더욱 빠르고 정확해지며 보다 비침습적 진단법이 생긴다.
  - 자연에 끼치는 인간의 영향력에 대한 고차원적 이해가 가능하다.
  - 유전적 질병의 발생과 그에 따른 고통이 감소한다.

- **■ 부정적 효과**
  - 유전자 조작 동물과 식물, 인간 건강과 환경 위생 간 상호작용이 위험해진다.
  - 비싼 치료법으로 불평등이 심화된다.
  - 유전자 편집 기술에 대한 사회적 반발과 거부가 발생할 수 있다.
  - 정부 혹은 기업이 유전자 데이터를 오용할 수 있다.

– 게놈 편집 기술 활용의 윤리적 관점에 대한 국제적 합의가 어렵다.

■ **예측 불가능한 영역**

– 수명이 연장된다.

– 인간의 본질에 대한 윤리적 딜레마에 빠진다.

– 문화적 변화에 참여한다.

■ **현재 동향**

2015년 3월, 저명한 과학자들은 학술지 《네이처Nature》에 게재된 논문을 통해 인간 배아의 유전자 조작에 대한 모라토리움(일시중지)을 촉구하며 "이 연구에 따른 윤리적 영향과 안전성에 관해 깊은 우려를 표명한다"고 강조했다. 불과 한 달 후인 2015년 4월, 황 쥔지우Junjiu Huang 교수가 이끄는 중국 광저우 시 중산 대학교Sun Yat-sen University 연구진들은 세계 최초로 인간 배아의 유전자 편집에 관한 과학 논문을 발표했다.[123]

신경기술[124]

the fourth industrial revolution

티핑 포인트 인공 기억을 완벽하게 이식받은 인간이 최초로 등장한다.

인간 두뇌의 기능에 대해 더 잘 파악하게 되면 그 혜택을 받지 않는 분야가 우리의 개인적, 직업적 삶 중에서 단 한 곳도 없을 것이다. 지난 몇 년간 세계에서 가장 많은 투자를 받은 두 개의 프로젝트가 바로 뇌 과학 분야에 관련된 것이다. '휴먼 브레인 프로젝트(유럽연합 집행위원회에서 10년간 10억 유로를 지원하는 프로젝트로 현재 진행 중이다)'와 오바마 대통령의 '혁신 신경기술의 발전을 통한 뇌 연구BRAIN, Brain Research Through Advancing Innovative Neurotechnologies)'이니셔티브가 바로 그것이다. 이 두 프로그램 모두 근본적으로는 과학과 의학 분야의 연구에 초점을 맞추고 있지만, 우리는 우리의 삶에서 비의료적인 부분인 신경기술의 빠른 성장(과 영향력)도 경험하고 있다. 신경기술은 뇌의 활동을 모니터링하고 뇌가 어떻게 변하고 세상과 교류하는지를 관찰한다.

실례로 2015년, 적당한 가격 선의(이미 게임 콘솔보다 가격이 낮아졌다) 휴대용 뉴로 헤드셋neuro-headsets의 등장은 한 번도 경험해보지 못한 가능성을 보여주었는데, 이는 신경과학의 대변화뿐 아니라 사회적인 대변화가 될 개연성이 있음을 나타냈다.[125]

■ 긍정적 효과

- 장애인들은 이제 의족과 의수 혹은 휠체어를 '의식으로' 움직일 수 있다.
- 뇌 활동을 실시간으로 모니터링할 수 있는 뉴로피드백Neurofeedback 은 중독을 끊고, 식습관을 조절하는 데 도움을 주고 스포츠에서 학업에 이르기까지 다양한 성과를 향상시킬 수 있는 등 수많은 가능성을 제공한다.
- 방대한 양의 뇌 활동 관련 데이터를 수집, 처리, 저장, 비교할 수 있게 되어 뇌 장애와 정신건강 관련 질병을 더욱 효과적으로 진단하고 치료할 수 있게 되었다.
- 법은 사건에 대한 맞춤형 처리를 제공하고 지금과 같은 일반적인 방법이 아닌 차등적인 방법으로 형사 사건의 책임을 제기할 수 있을 것이다.

- 뇌 과학에서 영감을 받아 제작된 차세대 컴퓨터는 인간의 뇌 피질 (지능이 자리 잡고 있다고 알려진 뇌의 부분)과 같이 논리적으로 사고하고, 예측하며 반응할 수도 있을 것이다.

■ **부정적 효과**
- 뇌의 판단에 기반한 차별이 발생할 수 있다. 우리는 단지 뇌로만 기능하는 존재가 아니다. 상황과 무관한 방식으로 결정을 해야 할 때 법부터 인적자원, 소비자 행동양식, 교육 등의 분야에 관한 뇌의 데이터에만 의존하는 것은 위험하다.
- 생각, 꿈, 욕구가 공개되고 사생활은 더 이상 없게 될 거라는 두려움이 생긴다.
- 여태까지 주로 뇌 과학이 할 수 있는 바를 과장함으로써 지탱되어 온 창의력과 인간적 감성이 천천히, 하지만 확실하게 사라질 것이라는 두려움이 있다.
- 인간과 기계의 경계가 불분명해진다.

■ **예측 불가능한 영역**
- 문화적 변화가 생긴다.
- 인간의 실제적 육체와 존재가 필요하지 않은(탈신체화) 의사소통 기술이 나타난다.
- 퍼포먼스가 향상된다.
- 인간의 확장된 인지 능력은 새로운 행동양식을 창조할 것이다.

■ 현재 동향

- 대뇌피질 컴퓨팅 알고리즘Cortical computing algorighms은 이미 캡차 CAPTHAs(인간과 기계를 구분하는 테스트) 문제를 푸는 능력을 보여줬다.

- 자동차 산업은 운전자가 주행 중 잠들면 차가 주행을 멈출 수 있도록 운전자의 주의력과 의식을 모니터링하는 시스템을 개발했다.

- 중국의 한 지능 컴퓨터 프로그램은 아이큐 테스트에서 대다수의 사람보다 높은 점수를 기록했다.

- IBM의 슈퍼컴퓨터 왓슨은 수백만의 의료 기록과 데이터베이스를 꼼꼼하게 살피고 추려내 의사가 치료하기 어려운 환자를 위한 치료법을 선택할 수 있도록 돕고 있다.

- 뉴로모픽neuromorphic 이미지 센서는 (인간의 시각과 뇌의 상호작용을 표방한) 배터리 사용부터 로봇공학에 이르기까지 다양한 분야에 영향을 미칠 것이다.

- 신경보철기술Neuroprosthetics을 통해 장애인들은 인공 팔다리와 인공 외골격을 조절할 수 있게 되었다. 몇몇 시각 장애인들은 (다시) 시력을 되찾게 될 것이다.

- 미국방부 고등기술연구원DARPA의 활동성기억회복RAM, Restoring Active Memory 프로그램은 기억력 회복과 개선의 길을 열고 있다.

- MIT 신경과학자들은 우울증 증상을 보이는 쥐에게 인공적으로 행복한 기억을 재활성화하여 증상을 치료할 수 있음을 증명했다.[126]

제4차 산업혁명의 성공을 위하여

the fourth industrial revolution

제4차 산업혁명은 파괴적 혁신을 이끌어내겠지만 그에 따라 발생되는 문제들은 오롯이 우리가 자초한 일일 것이다. 따라서 그 문제들에 대해 고민하고, 새로운 환경에서 적응하기 (또한 번영을 누리기) 위해 필요한 변화와 정책을 만들어내는 일은 우리의 몫이다.

우리의 정신과 마음, 영혼을 함께 모아 지혜를 발휘해야만 우리에게 닥칠 문제들을 의미 있게 다룰 수 있다. 그러기 위해서는 다음 네가지 지능을 키우고 적용하여, 파괴적 혁신이 가진 잠재성을 잘 파악하고 끌어내 활용해야 한다.

■ **상황 맥락**contextual **지능(정신)** 인지한 것을 잘 이해하고 적용하는

능력

- **정서**emotional **지능(마음)** 생각과 감정을 정리하고 결합해 자기 자신 및 타인과 관계를 맺는 능력
- **영감**inspired **지능(영혼)** 변화를 이끌고 공동의 이익을 꾀하기 위해 개인과 공동의 목적, 신뢰성, 여러 덕목 등을 활용하는 능력
- **신체**physical **지능(몸)** 개인에게 닥칠 변화와 구조적 변화에 필요한 에너지를 얻기 위해 자신과 주변의 건강과 행복을 구축하고 유지하는 능력

상황 맥락 지능, '정신'

훌륭한 리더는 상황 맥락 지능(하버드 비즈니스 스쿨 학장인 니틴 노리아(Nitin Nohria)가 창안한 용어)에 대해 이해하고 있고, 이미 숙달되어 있다. 상황 맥락에 대한 감각은 새로운 동향을 예측하고, 단편적 사실에서 결과를 도출할 수 있는 능력과 자발성을 뜻한다. 이러한 능력은 모든 세대를 관통하는 효과적인 리더십의 전형적 특징으로, 제4차 산업혁명 시대에서는 적응과 생존의 전제조건이다.

의사결정자들이 상황 맥락 지능을 개발하기 위해서는 다양한 네트워크의 가치에 대해 우선 이해해야 한다. 의사결정자로서 전통적 경계를 넘어 연결성을 높이고 타인과의 네트워크를 잘 구축해야만 엄청난 수준의 파괴적 혁신에 맞설 수 있다. 또한 언제라도 현재 쟁점과 연관된 이해관계상에 있는 모든 사람들과 관계를 맺을 수 있는 능력이 있어야 하고, 그렇게 관계를 맺을 수 있는 준비가 되어 있어야 한

다. 이를 통해 사람들 간에 더 밀접히 연계된, 포용적 관계가 구축되어야 한다.

기업, 정부, 시민사회, 종교, 학계 그리고 청년층까지 각 영역의 리더들이 모여 함께 협력해야 우리가 겪고 있는 현상에 대한 총체적 관점을 얻을 수 있다. 또한 지속가능한 변화를 이끌기 위해 통합된 아이디어와 해결책을 개발하고 이행하는 것이 매우 중요하다.

이것이 바로 '다중이해관계자 이론multistakeholder theory(1971년 클라우스 슈밥이 저서를 통해 처음으로 소개한 이론. 세계경제포럼에서는 다보스의 정신(Spirit of Davos)이라고 부른다)'의 기본 원칙이다.[128] 분야와 직군 내 경계가 인위적이고 점차 비생산적인 것으로 드러나고 있다. 그 어느 때보다 네트워크의 힘을 빌려 이런 경계를 허물고 효과적인 파트너십을 구축하는 것이 매우 중요하다. 경계를 허물지 못하고, 다양한 팀을 만들어 이행하지 않는 기업과 기관에게는 디지털 시대의 파괴적 혁신에 적응하는 데 힘든 시간이 될 것이다.

리더 역시 자신의 정신적, 개념적 체계와 조직의 원칙을 바꿀 수 있는 능력을 반드시 보여줘야 한다. 오늘날과 같이 파괴적인 변화가 빠르게 일어나는 세상에서 리더가 미래를 칸막이silo 식 관점에서 생각하거나 고정된 태도를 유지하게 되면 스스로 고착되는 길에 들어서는 것이다. 그렇기 때문에 리더는 철학자 이사야 벌린Isaiah Berlin이 1953년에 집필한, 작가와 사상가에 대한 에세이에 나온 두 종류의 인간형 가운데 고슴도치보다 여우가 되어야 한다. 날로 복잡해지고 파괴적 혁신이 일어나는 환경에서 기업을 운영하려면 고슴도치의 좁고 고정된 시각이 아닌 여우의 지적·사회적 민첩성이 필요하다. 실용적인 측면에서 리더는 칸막이식 관점으로 생각해서는 안 된다는 의미다. 리더가 문제와 사안, 도전과제에 접근하는 방식은 반드시 총체적이고 유연해야 하며 적응력이 있어야 한다. 또한 리더는 지속적으로 다양한 이해관계와 의견을 통합하기 위해 노력해야 한다.

정서 지능, '마음'

정서 지능은 상황 맥락 지능을 대신하는 것이 아닌 보완하는 지능으로, 제4차 산업혁명에서 나날이 중요성이 커지고 있다. 예일 대학교 정서 지능 센터Yale Center for Emotional Intelligence의 경영심리학자인 데이비드 카루소David Caruso 박사는 정서 지능에 대해 합리 지능rational intelligence에 상반되는 개념이 아니며, '두뇌에 대한 마음의 승리가 아닌 두뇌와 마음이 만나는 교차지점'이라고 설명했다.[129] 학회 문헌에 따르면 정서 지능은 리더가 더욱 혁신적으로 변화를 이끌 수 있는 능력을 갖추는 데 일조한다고 전한다.

제4차 산업혁명 시대에서 성공하기 위해 비즈니스 리더와 정책입안자들은 자기인식self-awareness과 자기조절self-regulation, 동기부여motivation, 감정이입empathy, 사회적 기술social skills과 같은 능력을 갖춰야 한다. 이때 정서 지능이 필수적인 토대가 된다.[130] 정서 지능에 대해 연구한 학계 교수와 연구진들은 훌륭한 의사결정자들은 정서 지능의 수준과 지속적 개발 능력 면에서 일반적인 의사결정자들과는 다르다고 말한다.

끊임없이 강력한 변화가 일어나는 세상에서 정서 지능이 높은 리더가 이끄는 조직은 더욱 창의적인 성향을 띠면서도 민첩함과 빠른 회복력을 갖출 것이다. 이는 제4차 산업혁명의 시대에 일어나는 파괴적 혁신을 마주하는 데 반드시 필요한 특성이다. 다양한 분야의 협력을 제도화할 수 있는 능력, 서열에 따른 계층구조를 수평화하는 능력, 새로운 아이디어를 독려하는 환경을 만드는 능력으로 대표되는 디지털 사고방식mindset은 전적으로 정서 지능에 달려 있다.

영감 지능, '영혼'

상황 맥락 지능과 정서 지능과 함께, 제4차 산업혁명 시대를 잘 헤쳐 나가는 데 필요한 세 번째 지능은 바로 영감 지능이다. 영감inspired은 '숨을 쉬다'라는 뜻의 라틴어 'spirare'에서 파생된 단어로, 영감 지능은 의미와 목적에 대해 끊임없이 탐구하는 능력을 뜻한다. 영감 지능은 창작열을 키우는 데 자양분이 되고, 사람들에게 공동운명체에 대한 새로운 공공의 도덕의식을 부여한다.

영감 지능에서는 공유sharing가 핵심이다. 앞서 언급했듯이, 과학기술이 점점 개인 중심 사회가 되는 이유 중 하나라면, 우리는 자기 자신에게 초점을 향하게 하는 현상과 사회 전반적으로 퍼져 있는 공동의 목적의식 간에 균형을 반드시 다시 맞춰야만 한다. 이 세상을 함께 살아가면서, 만약 우리가 공유한 목적을 함께 발전시켜 나가지 않는다면 제4차 산업혁명 시대가 주는 어려움을 극복할 수 없을 것이며, 그 혜택과 이점 또한 누릴 수 없을 것이다.

공유한 목적을 발전시켜 나가기 위해서는 신뢰가 매우 중요하다.

높은 수준의 신뢰는 상호연계와 팀워크를 이루게 하고, 이것은 협력적 혁신이 핵심인 제4차 산업혁명 시대에서 더욱 극명하게 드러난다. 서로 다른 구성 요소와 사안이 얽혀 있는 시대이기 때문에 상호 간 협력은 신뢰를 바탕으로 해야만 가능해진다. 결국 관련된 모든 이해관계자들은 혁신이 공공의 이익을 추구하고 있는지 이를 보장하는 역할을 맡게 된다. 만약 어떤 주요 이해관계자들이 봤을 때, 그렇지 않다고 판단한다면 신뢰는 무너지게 될 것이다.

그 무엇도 지속적이지 않은 시대에 신뢰는 가장 소중한 가치 중 하나다. 의사결정자들이 공동체에 깊숙이 스며들어 개인의 목적이 아닌 공공의 이익을 위해 결정을 내린다면 신뢰는 자라나고 유지될 수 있다.

신체 지능, '몸'

상황 맥락·정서·영감 지능은 모두 제4차 산업혁명에 대응하고 또한 최대한의 이득을 얻기 위해 필요한 핵심적 특성이다. 이 세 가지 필수적인 지능 모두 신체 지능의 뒷받침이 필요하다. 신체 지능은 개인의 건강과 행복을 가꾸고 함양하는 능력을 가리킨다. 변화의 속도가 가속화되고 또 더욱 복잡해지면서, 의사결정 과정에 관련된 사람 수가 급격히 늘어나고 있다. 그에 따라 개인의 건강을 유지하고, 큰 압박감 속에서도 평정심을 유지하는 능력은 더욱 중요해지고 있다.

생물학의 분야로 최근 들어 급속한 성장을 이루고 있는 후성유전학epigenetics은 환경에 따라 유전자의 발현이 달라지는 과정에 관한

/ 2부 제4차 산업혁명의 방법론

학문이다. 후성유전학에서는 인간의 삶에서 수면과 영양공급, 운동이 가장 중요하다는 절대적 사실을 증명한다. 예를 들어 규칙적인 운동은 우리가 생각하고 느끼는 방식에 긍정적인 영향을 미친다. 이는 직장에서 업무 성과로도 직결되며 궁극적으로 성공할 수 있는 능력에 영향을 끼친다.

우리의 신체가 정신, 감정 그리고 사회 전반과 조화를 이룰 수 있도록 해주는 새로운 방법을 이해하고 파악하는 일은 굉장히 중요하다. 의학, 웨어러블 기기, 체내 삽입형 기술, 뇌 연구 등 다양한 분야의 눈부신 발전을 통해 우리는 신체 지능을 유지하고 관리하는 방법을 계속 배워나가고 있다. 나는 종종 리더가 동시다발적으로 발생하는 수많은 복잡한 문제들에 효과적으로 대응하려면 '강한 배짱'이 필요하다고 말한다. 제4차 산업혁명을 제대로 이해하고, 주어지는 기회를 최대한 활용하기 위해 이는 더욱 중요해질 능력이다.

새로운 문화 르네상스를 향하여

독일 시인 라이너 마리아 릴케Rainer Maria Rilke가 시를 통해 말했듯, "미래는 우리 안에서 변화하기 위해 훨씬 전부터 우리 내부에 들어와 있다."[131] 우리가 현재 살고 있는 시대는 인류세Anthropocene(人類世) 또는 인류시대Human Age로 지구 역사상 처음으로 인간의 활동이 지구의 모든 생명유지 시스템을 형성하는 제1 세력이 되고 있음을 잊어서는 안 된다.

모든 것은 우리에게 달려 있다.

제4차 산업혁명의 시작점에 있는 우리는 앞날을 생각하며, 제4차 산업혁명의 과정에 영향을 미칠 능력을 갖춰가고 있다. 번영을 이루기 위해 무엇이 필요한지 아는 것은 중요하다. 아는 것을 실천하는 것은 별개의 문제다. 제4차 산업혁명은 우리를 어디로 이끌 것이고, 우리는 어떻게 최선을 다해 준비해야 할까?

프랑스 계몽시대의 철학자이자 작가인 (지금 내가 이 책을 집필하는 곳에서 얼마 떨어지지 않은 장소에 몇 년이나 살았던) 볼테르Voltaire는 "의심은 불쾌한 일이지만, 확신은 어리석은 일이다"라고 말했다.[132] 실제로 제4차 산업혁명이 어떤 결과를 낳게 될지, 우리가 안다고 확신한다면 지나치게 순진한 생각일 것이다. 그러나 그것이 어떤 방향일지에 대한 공포와 불확실성으로 얼어붙는다면 이 역시 순진한 행동이다. 책 전반에 걸쳐 강조해온 것처럼 제4차 산업혁명의 최종 목적지는 결국 그 잠재력이 최대한 발휘될 수 있도록 만드는 우리의 능력에 달려 있다.

제4차 산업혁명이 주는 기회가 강렬한 만큼 그것이 불러올 문제점역시 벅차고 무겁다. 그러므로 모두가 함께 제4차 산업혁명의 영향력과 효과에 적절히 대비하여, 도전을 기회로 바꿀 수 있도록 노력해야한다. 세상은 더욱 빠르게 변화하고 초연결사회가 되어 더욱 복잡해지고 분열되겠지만, 그럼에도 우리는 모두에게 이득이 되는 방향으로우리의 미래를 설계해나가야 할 것이다. 그리고 지금이 바로 그 절호의 기회다.

가장 중요한 첫 발걸음으로 우리는 사회 모든 분야에 걸쳐 인식과 이해를 높여야 한다. 이것이야말로 이 책의 가장 큰 목표다. 의사결정 시 칸막이식compartmentalized 사고방식에서 벗어나야 한다. 우리가 직면한 문제점들이 상호연계되어 있다는 점을 감안하면 더욱 그렇다. 제4차 산업혁명으로 발생되는 사안들에 대처할 때 요구되는 이해력은 포용적 접근을 통해 생긴다. 다양한 생태계를 통합하고, 각 분야에 정통한 지식인은 물론 공공 분야와 민간 분야를 아울러 모든 이해관계자들을 고려하는, 협력적이고 유연한 구조를 구축해야 할 것이다.

둘째로, 공동의 이해를 기반으로 나아가기 위해서는, 현재는 물론 후손까지 생각하여 제4차 산업혁명을 어떻게 이끌어 나갈지에 대한 긍정적이고 포괄적인 공동의 담론을 발전시켜야 한다. 아직은 담론의 세부적 사항까지 알 수 없지만, 반드시 포함되어야 할 특징에 대해서는 알고 있다. 예를 들어 미래의 시스템이 반드시 구현해야 하는 가치와 윤리적 원칙을 명확히 해야 한다. 시장이 부를 창출하는 효과적인 동력이듯, 가치와 윤리가 개인과 집단의 행동양식 그리고 시스템의 중심에 자리 잡고 있음을 확실히 해야 한다. 이런 담론은 관용과 존중에서 배려와 연민이라는 더 높은 수준의 관점으로 지속적으로 발전해나가야 한다.

셋째는 향상된 인식과 공동의 담론을 바탕으로, 제4차 산업혁명이 가져올 기회를 최대한 활용하기 위해 경제적·사회적·정치적 시스템을 개편해야 한다. 지금의 의사결정 시스템과 부가 창출되는 모델은 앞선 세 차례의 산업혁명을 통해 만들어지고 점진적으로 발전되었다. 그러나 이러한 시스템과 모델은 현재는 물론, 제4차 산업혁명 시대를 살게 될 다음 세대의 요구도 제대로 충족시켜주지 못한다. 이런 상황이 요구하는 것은 소규모 조정이나 별 볼 일 없는 개혁이 아니라 체제적 혁신이다.

앞에서 세 가지 단계에 대해 확인한 것처럼 모든 이해관계자들이 자신의 의견을 제시할 수 있는 지역적·국가적·초국가적 차원의 지속적인 협력과 대화가 불가능하다면, 우리는 제4차 산업혁명의 최종 목적지에 도달할 수 없다. 우리는 기술적 측면만이 아니라 근본적인 요소들이 제대로 갖춰져 있는지에 초점을 맞출 필요가 있다. 진화론자이자 하버드 대학교Havard University의 수학·생물학 교수인 마틴 노왁Martin Nowak 박사는 협력을 두고, '인간을 구원할 수 있는 유일한 것'이라고 상기시켰다.[133] 협력은 40억 년 진화의 주요 설계자로서 중요한 역할을 해왔다. 인간은 협력을 통해 나날이 더해가는 복잡성 속에서도 적응할 수 있고, 정치적·경제적·사회적 결합을 강화시킬 수 있다. 그 과정에서 상당한 발전이 이루어진다.

다중이해관계자들의 효율적인 협력과 함께, 제4차 산업혁명의 잠재성이 현재 세계가 직면한 주요 문제들을 다루고 해결해줄 수 있을 것이라고 확신한다.

결국 모든 것은 사람과 문화, 가치의 문제로 좁혀진다. 문화와 국가, 소득계층을 넘어 모두가 제4차 산업혁명과 그것이 가져올 문명사회의 문제점에 대해 배워야 할 필요성에 대해 인식하도록 함께 노력해야 한다.

인간을 최우선으로 여기고 인간에게 힘을 실어주는 새로운 과학기술은 결국 사람에 의해, 사람을 위해 만들어진 가장 중요한 도구임을 항상 기억하면서 모두를 위한 미래를 함께 만들어나가야 한다.

그러므로 우리는 파괴적 혁신과 과학기술이 인간 중심의 공익을 위한 필요에 의해 존재하는 미래에 대한 공동의 책임의식을 지녀야 한다. 또한 파괴적 혁신과 과학기술을 활용해 지속가능한 발전을 이루어야 할 것이다.

우리는 더 멀리 나아갈 수도 있다. 새로운 과학기술 시대가 민첩하고 책임감 있게 구축된다면, 우리가 훨씬 더 커진 세상의 일부가 되었음을 체감하게 해줄 새로운 문화적 르네상스가 도래할 수도 있다. 이는 바로 진정한 글로벌 문명사회로의 진입을 의미한다. 제4차 산업혁명은 인류를 로봇화하여 일과 공동체, 가족 그리고 정체성과 같은, 우리 삶에 의미를 주는 전통적인 가치를 위태롭게 만들 수도 있다. 아니면 공동운명체 의식을 바탕으로 새로운 공동의 윤리의식의 세계로 인류의 수준을 높이는 데 제4차 산업혁명을 활용할 수도 있다. 후자가 실제로 일어날 수 있도록 노력하는 것은 우리 모두의 의무다.

신新 산업혁명으로 더 나은 세계를 기대하며

세계경제포럼은 민관 협력을 위한 국제기구로서 멤버와 파트너 그리고 시민사회와 협력해 제4차 산업혁명과 관련한 도전과제를 규정하고, 모든 이해관계자들이 사전대응적이고 포괄적인 방식으로 적절한 솔루션을 찾을 수 있도록 돕는 글로벌 플랫폼으로서의 책임감을 인식하고 있다.

이런 연유로 다보스에서 열린 2016년 세계경제포럼의 연차 회의 주제를 '제4차 산업혁명의 이해Mastering the Fourth Industrial Revolution'로 정했다. 우리는 제4차 산업혁명에 관한 모든 과제와 프로젝트, 회의에서 건설적인 논의와 파트너십이 활성화되도록 최선을 다했다. 2016년 6월 중국 텐진Tianjin에서 열릴 세계경제포럼의 뉴챔피언스 연차 회의 Forum's Annual Meeting of New Champions에서도 연구, 과학기술, 상업화, 조약

등과 관련된 다양한 영역의 리더와 혁신가들이 모여 모두에게 가능한 최선의 이익이 되도록 제4차 산업혁명을 어떻게 활용해야 할지 아이디어를 교환하는 중요한 자리를 마련할 것이다. 이 모든 활동을 위해 이 책이 리더들이 과학기술의 발전을 이해하고 그로 인해 발생할 정치적·사회적·경제적 문제에 대한 해결 능력을 갖추는 데 도움이 되는 입문서이자 지침서 역할을 하기 바란다.

세계경제포럼 내 동료들의 열성적인 도움과 참여가 없었다면 이 책은 세상에 나올 수 없었을 것이다. 그들에게 말로 표현할 수 없을 만큼 큰 감사의 마음을 전하고 싶다. 조사와 집필 전 과정에 큰 도움을 준 니콜라스 데이비스Nicolas Davis, 티에리 마레에Thierry Malleret, 멜 로저스Mel Rogers에게 특별히 고마움을 전한다. 또한 책의 특정 분야 집필에 도움을 준 동료들과 모두에게 감사의 말을 전한다. 특히 경제와 사회 분야에 도움을 준 제니퍼 블랭크Jennyier Blanke, 마가레타 더체니에크-하뉴츠Margareta Drzeniek-Hanouz, 실비아 마뇨니Silvia Magnoni, 사디아 자하디Saadia Zahidi, 비즈니스와 산업 분야의 짐 하게만 스나베Jim Hagemann Snabe, 마크 스펠만Mark Spelman, 브로이스 와이널트Bruce Weinelt, 환경 분야의 도미니크 루어리Dominic Waughray, 정부 분야의 헬레나 르헝Helena Leurent, 지정학과 국제안보 분야의 에스펜 바르트 아이데Espen Barth Eide, 아냐 카스펠슨Anja Kaspersen, 신경과학 기술 분야의 올리비에 울리에르Olivier Oullier에게 감사함을 전한다.

이 책을 집필하며 모든 세계경제포럼 관계자의 뛰어난 전문성을 발견할 수 있었다. 온라인과 직접 만남을 통해 나와 아이디어를 나누었던 모든 이들에게 고마움을 표하고 싶다. 그중에서도 이머징 테크놀로지 태스크포스Emerging Technologies taskforce의 멤버인 데이비드 글라이셔David Gleicher, 리가스 하지라코스Rigas Hadzilacos, 나탈리 하투르Natalie Hatour, 풀비아 몬트레서Fulvia Montresor, 올리비에 워프레이Olivier Woeffray에게 감사의 말을 전한다. 또한 이들 이슈에 대해 바쁜 시간을 쪼개 심도 있게 고민해준 차일디오고 아쿠니일리Chidiogo Akunyili, 클라우디오 코코로치아Claudio Cocorocchia, 니코 다스와니Nico Daswani, 메르한 굴Mehran Gul, 알렉한드라 구즈만Alejandra Guzman, 마이크 핸리Mike Hanley, 리 호웰Lee Howell, 제레미 율겐스Jeremy Jurgens, 버니스 리Bernice Lee, 알란 마커스Alan Marcus, 아드리안 몽크Adrian Monck, 토마스 필벡Thomas Philbeck, 필립 셜터-존스Philip Shetler-Jones 에게 감사 인사를 전한다.

제4차 산업혁명에 대한 생각을 정리하고 다듬을 수 있도록 도와준 세계경제포럼 커뮤니티의 모든 멤버들에게 깊은 감사를 전한다. 과학기술 혁신의 영향력과 그에 따른 도전과 기회에 대한 내 생각에 영감을 준 앤드류 맥아피Andrew MacAfee, 에릭 브린욜프슨Erik Brynjolfsson과 글로벌 공익을 위해 제4차 산업혁명을 활용하려면 가치에 기초한 담론이 필요하다고 강조한 데니스 스노워Dennis Snower, 스튜어트 월리스Stewart Wallis에게 특별한 고마움을 전하고 싶다.

또한 마크 베니오프Marc Benioff, 카트린 보슬리Katrine Bosley, 저스틴 캐셀Justine Cassell, 메리엣 디크리스티나Mariette DiChristina, 무랄리 도라이스와미Murali Doraiswamy, 니타 파라하니Nita Farahany, 제브 퍼스트Zev Furst, 닉 고잉Nik Gowing, 빅토르 할버슈타트Victor Halberstadt, 켄 후Ken Hu, 이상엽Lee

Sang-Yup, 알레씨오 로무스치오Alessio Lomuscio, 잭 마Jack Ma, 엘렌 맥아더 Ellen MacArther, 피터 마우러Peter Maurer, 베르나르 메이어슨Bernard Meyerson, 앤드류 메이너드Andrew Maynard, 윌리암 맥도너프William McDonough, 제 임스 무디James Moody, 앤드류 무어Andrew Moore, 마이클 오스본Michael Osborne, 피오나 파우아 슈밥Fiona Paua Schwab, 페이커 시베스마Feike Sijbesma, 비샬 시카Vishal Sikka, 필립 싱클레어Philip Sinclair, 힐러리 셧클리 프Hilary Sutcliffe, 니나 탠돈Nina Tandon, 파리다 비스Farida Vis, 마크 월포트 경Sir Mark Walport, 알렉스 와이어트Alex Wyatt까지 모두가 이 책을 위해 나와 글을 주고받고, 인터뷰에 응해준 고마운 사람들이다.

세계경제포럼의 글로벌어젠다카운슬과 미래지향 커뮤니티future-oriented communities는 이 책에서 다룬 모든 주제들에 참여해 풍부한 통 찰력을 제공해주었다. 〈소프트웨어와 사회의 미래Future of Software and Society〉, 〈인구이동Migration〉, 〈도시의 미래Future of Cities〉 보고서를 통해 도움을 준 글로벌어젠다카운슬에 특별히 감사의 마음을 전하고 싶 다. 세계경제포럼 내 글로벌 셰이퍼스Global Shapers, 영 글로벌 리더Young Global Leader, 영 사이언티스트 커뮤니티Young Scientists Communities 멤버 들 모두와, 특히 세계경제포럼의 가상 지식과 협력 플랫폼인 탑링크 TopLink를 통해 의견을 전해준 모든 사람들, 그리고 2015년 아부다비에 서 열린 글로벌어젠다서밋회의Summit on Global Agenda 당시 아낌없이 시간 을 내주고 통찰력을 전해준 다수의 뛰어난 선구적 사상가들에게 깊 은 감사를 전한다.

편집 작업을 해준 알렉산드로 레예스Alejandro Reyes, 디자인의 스코트 데이비드Scott David, 레이아웃과 마무리 작업을 도와준 카말 키마우이Kamal Kimaoui에게도 특별히 감사하다는 말을 하고 싶다.

2016년 연차 회의에 맞춰 이 책을 준비하기 위해 전 세계 많은 사람들의 도움을 받은 결과, 책이 완성되는 데 3개월도 채 걸리지 않았다. 제4차 산업혁명의 빠른 속도와 역동적인 환경을 정확하게 반영한 책이다.

마지막으로 이 책을 읽고 있는 독자 여러분에게 이 여정을 나와 함께해줘서, 그리고 세계의 미래가 한 발 더 나아갈 수 있도록 지속적인 관심을 보여줘서 고맙다는 인사를 전하고 싶다.

1. '파괴'와 '파괴적 혁신'은 기업과 경영 전략 분야에서 많이 논의되는 용어로, 가장 최근에는 클레이튼 크리스텐슨Clayton M. Christensen, 마이클 레이너Michael E. Raynor, 로리 맥도널드Rory McDonald가 2015년 12월호 《하버드 비즈니스 리뷰》에서 '파괴적 혁신이란 무엇인가(What is Disruptive Innovation)?'를 통해 언급하였다. 크리스텐슨 교수와 그의 동료들의 용어 정의에 대한 우려에 존중하는 마음을 담아, 이 책에서는 해당 용어를 조금 더 넓은 의미로 사용하였다.

2. 에릭 브린욜프슨Erik Brynjolfsson·앤드류 맥아피Andrew McAfee, 《제2의 기계시대 (The Second Machine Age: Work, Progress, and Prosperity in a Time of Brilliant Technologies)》 (청림출판, 2014)

3. James Manyika and Michael Chui, "Digital Era Brings Hyperscale Challenges", 《The Financial Times》, 13 August 2014.

4. 디자이너이자 건축가인 네리 옥스만Neri Oxman은 내가 전달하고자 하는 의미에 들어맞는 멋진 예를 들어주었다. 그녀의 연구소는 컴퓨터 디자인, 적층가공, 재료공학, 합성생물학을 두루 연구한다.
https://www.ted.com/talks/neri_oxman_design_at_the_intersection_of_technology_and_biology

5. Carl Benedikt Frey and Michael Osborne, with contributions from Citi Research, "Technology at Work — The Future of Innovation and Employment", Oxford Martin School and Citi, February 2015.

6. David Isaiah, "Automotive grade graphene: the clock is ticking", Automotive World, 26 August 2015.
http://www.automotiveworld.com/analysis/automotive-grade-graphene-clock-ticking/

7. Sarah Laskow, "The Strongest, Most Expensive Material on Earth", The Atlantic, http://www.theatlantic.com/technology/archive/2014/09/the-strongest-most-expensive-material-on-earth/380601/

8. 몇몇 기술은 이 사이트에 더욱 자세히 설명되어 있다. Bernard Meyerson, "Top 10 Technologies of 2015", Meta-Council on Emerging Technologies, World Economic Forum, 4 March 2015. https://agenda.weforum.org/2015/03/top-10-emerging-technologies- of-2015-2/

9. Tom Goodwin, "In the age of disintermediation the battle is all for the consumer interface", TechCrunch, March 2015. http://techcrunch.com/2015/03/03/in-the-age-of-disintermediadon-the-battle-is-all-for-the-customer-interface/

10. K.A. Wetterstrand, "DNA Sequencing Costs: Data from the NHGRI Genome Sequencing Program (GSP)", National Human Genome Research Institute, 2 October 2015. http://www.genome.gov/sequencingcosts/

11. Ariana Eunjung Cha, "Watson's Next Feat? Taking on Cancer", The Washington Post, 27 June 2015. http://www.washingtonpost.com/sf/national/2015/06/27/watsons-next-feat-taking-on-cancer/

12. Jacob G. Foster, Andrey Rzhetsky and James A. Evans, "Tradition and Innovation in Scientists' Research Strategies", American Sociological Review, October 2015 80: 875-908 http://www.knowledgelab.org/ docs/1302.6906.pdf

13. Mike Ramsay and Douglas Cacmillan, "Carnegie Mellon Reels After Uber Lures Away Researchers", Wall Street Journal, 31 May 2015 http://www.wsj.com/articles/is-uber-a-friend-or-foe-of-carnegie-mellon-in- robotics-1433084582

14. World Economic Forum, Deep Shift - Technology Tipping Points and Societal Impact, Survey Report, Global Agenda Council on the Future of Software and

Society, September 2015.

15. 설문 방법에 대한 더 상세한 사항은 미주 14에 소개된 보고서의 4쪽과 39쪽을 참고하길 바란다.

16. UK Office of National Statistics, "Surviving to Age 100", 11 December 2013. http://www.ons.gov.uk/ons/rel/lifetables/historic—and—projected—data—from—the—period—and—cohort—life—tables/2012—based/info—surviving—to—age—100.html

17. The Conference Board, Productivity Brief 2015, 2015.
미국 컨퍼런스보드의 데이터에 따르면 노동생산성 증가율은 1996~2006년 사이 평균 2.6%였던 반면, 2013년과 2014년 모두 2.1%에 머물렀다.
https://www.conference—board.org/retrievefile.cfm?filename=The—Conference—Board—2015—Productivity—Brief.pdf&type=subsite

18. United States Department of Labor, "Productivity change in the nonfarm business sector, 1947—2014", Bureau of Labor Statistics http://www.bls.gov/lpc/prodybar.htm

19. United States Department of Labor, "Preliminary multifactor productivity trends, 2014", Bureau of Labor Statistics, 23 June 2015
http://www.bls.gov/news.release/prod3.nr0.htm

20. OECD, "The Future of Productivity", July 2015. http://www.oecd.org/ eco/growth/ The—future—of—productivity—policy—note—July—2015.pdf
미국의 생산성 감소에 대한 짧은 토론을 담은 글은 이 사이트(http://www.frbsf.org/ economic—research/publications/economic—letter/2015/february/economic—growth—information—technology—factor—productivity/)에서 확인할 수 있다.
John Fernald and Bing Wang, "The Recent Rise and Fall of Rapid Productivity Growth", Federal Reserve Bank of San Francisco, 9 February 2015.

21. 경제학자 브래드 드롱Brad DeLong 박사의 의견으로, 더 자세한 내용은 아래를 참고하길 바란다: J. Bradford DeLong, "Making Do With More", Project Syndicate, 26 February 2015.
http://www.project—syndicate.org/commentary/abundance—without—living—standards—growth—by—j—bradford—delong—2015—02

22. John Maynard Keynes, "Economic Possibilities for our Grandchildren" in Essays in Persuasion, Harcourt Brace, 1931.

23. Carl Benedikt Frey and Michael Osborne, "The Future of Employment: How Susceptible Are Jobs to Computerisation?", Oxford Martin School, Programme on the Impacts of Future Technology; University of Oxford, 17 September 2013.
http://www.oxfordmartin.ox.ac.uk/downloads/academic/The_Future_of_Employment.pdf

24. Shelley Podolny, "If an Algorithm Wrote This, How Would You Even Know?", The New York Times, 7 March 2015
http://www.nytimes.com/2015/03/08/opinion/sunday/if−an−algorithm−wrote−this−how−would−you−even−know.html?_r=0

25. 마틴 포드Martin Ford, 《로봇의 부상(Rise of the Robots)》, (세종서적, 2016)

26. Daniel Pink, Free Agent Nation − The Future of Working for Yourself, Grand Central Publishing, 2001.

27. 인용: Farhad Manjoo, "Uber's business model could change your work" The New York Times, 28 January 2015.

28. 인용: Sarah O'Connor, "The human cloud: A new world of work'", The Financial Times, 8 Oct 2015.

29. 린다 그래튼Lynda Gratton, 《일의 미래(The Shift: The Future of Work is Already Here)》 (생각연구소, 2012)

30. R. Buckminster Fuller and E.J. Applewhite, Synergetics: Explorations in the Geometry of Thinking Macmillan, 1975.

31. Eric Knight, "The Art of Corporate Endurance", Harvard Business Review, April 2, 2014
https://hbr.org/2014/04/the−art−of−corporate−endurance

32. VentureBeat, "WhatsApp now has 700M users, sending 30B messages per day", January 6 2015
http://venturebeat.com/2015/01/06/whatsapp—now—has—700m—users—sending—30b—messages—per—day/

33. Mitek and Zogby Analytics, Millennial Study 2014, September 2014
https://www.miteksystems.com/sites/default/files/Documents/zogby_final_embargo_14_9_25.pdf

34. Gillian Wong, "Alibaba Tops Singles' Day Sales Record Despite Slowing China Economy", The Wall Street Journal, 11 November 2015
http://www. Wsj.com/articles/alibaba—smashes—singles—day—sales—record—1447234536

35. "The Mobile Economy: Sub—Saharan Africa 2014", GSM Association, 2014.
http://www.gsmamobileeconomyafrica.com/GSMA_ME_SubSaharanAfrica_Web_Singled.pdf

36. Tencent, "Announcement of results for the three and nine months ended 30 September 2015"
http://www.tencent.com/en—us/contem/ir/an/2015/ attachments/20151110.pdf

37. MIT, "The ups and downs of dynamic pricing", innovation@work Blog, MIT Sloan Executive Education, 31 October 2014.
http://executive.mit.edu/blog/the—ups—and—downs—of—dynamic—pricing#.VG4yA_nF—bU

38. Giles Turner, "Cybersecurity Index Beat S&P500 by 120%. Here's Why, in Charts", Money Beat, The Wall Street Journal, 9 September 2015.

39. IBM, "Redefining Boundaries: Insights from the Global C—Suite Study," November 2015.

40. Global e—Sustainability Initiative and The Boston Consulting Group, Inc, "GeSI SMARTer 2020: The Role of ICT in Driving a Sustainable Future, December 2012,

http://gesi.org/SMARTer2020

41. 모이제스 나임Moisées Naím, 《권력의 종말(The End of Power: From Boardrooms to Battlefields and Churches to States, Why Being in Charge Isn't What It Used to Be)》, (책 읽는 수요일, 2015)
이 책에서는 권력의 종말이 양적증가혁명, 이동혁명, 의식혁명이라는 세 가지 혁명을 거쳐 나타난다고 밝혔다. 정보기술을 지배적인 역할로 묘사하지 않고 있지만 양적증가와 이동, 의식혁명은 디지털 시대와 새로운 기술의 결합으로 가능하다고 주장한다.

42. 이 개념은 다음의 책에서 소개되었다.
《The Middle Kingdom Galapagos Island Syndrome: The Cul-De-Sac of Chinese Technology Standards》, Information Technology and Innovation Foundation (ITIF), 2014.
http://www.itif.org/publications/2014/12/15/middle-kingdom-galapagos-island-syndrome-cul-de-sac-chinese-technology

43. "Innovation Union Scoreboard 2015", European Commission, 2015.
http://cc.europa.eu/growth/industry/innovation/facts-figures/scoreboards/files/ius-2015_en.pdf
유럽집행위원회의 종합혁신지수Innovation Union Scoreboard에서 활용한 측정 프레임워크는 세 가지 중요 지표와 여덟 가지 혁신의 부문으로 나누어, 총 스물다섯 가지의 지표를 생성하였다. 투입(enabler)항목은 기업 외적 혁신 성과를 주도하는 세 가지 주요 동력을 다루며, 인적자원, 개방적이고 훌륭한 리서치 시스템, 재정과 지원이라는 세 가지 혁신의 범위로 구성되었다. 기업 활동(firm activities)항목은 기업 차원에서 보여주는 혁신적 노력에 관한 것으로 기업 투자, 연계성과 기업가 정신, 지적 재산으로 분류되었다. 성과(output)항목은 기업의 혁신적 활동의 효과에 대한 것으로, 혁신기업과 경제적 효과로 나뉘어졌다.

44. World Economic Forum, Collaborative Innovation – Transforming Business, Driving Growth, August 2015.
http://www3.weforum.org/docs/WEF_Collaborative_Innovation_ report_2015.pdf

45. World Economic Forum, Global Information Technology Report 2015: ICTs for Inclusive Growth, Soumitra Dutta, Thierry Geiger and Bruno Lanvin, eds, 2015.

46. World Economic Forum, Data-Driven Development: Pathways for Progress,

January 2015
http://www3.weforum.org/ docs/WEFUSA_DataDrivenDevelopment_ Report2015.pdf

47. Tom Saunders and Peter Baeck, "Rethinking Smart Cities From The Ground Up", Nesta, June 2015.
https://www.nesta.org.uk/sites/dcfault/files/rethinking_smart_cities_from_the_ground_up_2015.pdf

48. Carolina Moreno, "Medellin, Colombia Named Innovative City Of The Year' In WSJ And Citi Global Competition", Huffington Post, 2 March 2013
http://www.huffingtonpost.com/2013/03/02/medellin-named-innovative-city-of-the-year_n_2794425.html

49. World Economic Forum, Top Ten Urban Innovations, Global Agenda Council on the Future of Cities, World Economic Forum, October 2015,
http://www3.weforum.org/docs/Top_10_Emerging_Urban_innovations_report_2010_20.10.pdf

50. Alex Leveringhaus and Gilles Giacca, "Robo-Wars — The Regulation of Robotic Weapons", The Oxford Institute for Ethics, Law and Armed Conflict, The Oxford Martin Programme on Human Rights for Future Generations, and The Oxford Martin School, 2014.
http://www. oxfordmartin.ox.ac.uk/downloads/briefings/Robo-Wars.pdf

51. 탐 리쿼쓰Tom Requarth가 제임스 지오다노James Giordano를 인용. "This is Your Brain. This is Your Brain as a Weapon", Foreign Policy, 14 September 2015.
http://foreignpolicy.com/2015/09/14/this-is-your-brain-this-is-your-brain-as-a-weapon-darpa-dual-use-neuroscience/

52. Manuel Castells, "The impact of the Internet on Society: A Global Perspective", MIT Technology 8 September 2014.
http://www.technologyreview.com/view/530566/the-impact-of-the-internet-on-society-a-global-perspective/

53. Credit Suisse, Global Wealth Report 2015, October 2015.

http://publications.credit-suisse.com/tasks/render/file/index.cfm?fileid=F2425415-DCA7-80B8-EAD989AF9341D47E

54. OECD, "Divided We Stand: Why Inequality Keeps Rising", 2011. http://www.oecd.org/els/soc/49499779.pdf

55. Frederick Solt, "The Standardized World Income Inequality Database," Working paper, SWIID, Version 5.0, October 2014. http://myweb.uiowa.edu/fsolt/swiid/swiid.html

56. 리처드 윌킨슨Richard Wilkinson · 케이트 피킷Kate Pickett, 《평등이 답이다(The Spirit Level: Why Greater Equality Makes Societies Strong)》, (이후, 2012)

57. Sean F. Reardon and Kendra Bischoff, "More unequal and more separate: Growth in the residential segregation of families by income, 1970-2009", US 2010 Project, 2011.
http://www.s4.brown.edu/us2010/Projects/Reports.htm
http://cepa.stanford.edu/content/more-unequal-and-more-separate-growth-residential-segregation-families-income-1970-2009

58 .Eleanor Goldberg, "Facebook, Google are Saving Refugees and Migrants from Traffickers", Huffington Post, 10 September 2015.
http://www.huffingtonpost.com/entry/ facebook-google-maps-refugeesmigrants_55fl aca8e4b03784e2783ea4

59. Robert M. Bond, Christopher J. Fariss, Jason J. Jones, Adam D. I. Kramer, Cameron Marlow, Jaime E. Settle, and James H. Fowler, "A 61-million- person experiment in social influence and political mobilization", Nature, 2 September 2012 (online).
http://www.nature.com/nature/journal/v489/n7415/full/nature11421.html

60. Stephen Hawking, Stuart Russell, Max Tegmark, Frank Wilczek, "Stephen Hawking: Transcendence looks at the implications of artificial intelligence − but are we taking AI seriously enough?" , The Independent, 2 May 2014.
http://www.independent.co.uk/news/science/stephen-hawking-transcendence-looks-at-the-implications-of-artificial-inteligence-but-are-we- taking-9313474.

html

61. Greg Brockman, Ilya Sutskever & the OpenAI team, "Introducing OpenAI", 11 December 2015
https://openai.com/blog/introducing-openai/

62. Steven Levy, "How Elon Musk and Y Combinator Plan to Stop Computers From Taking Over", 11 December 2015
https://medium.com/backchannel/how-elon-musk-and-y-combinator-plan-to-stop-computers-from-taking-over-17e0e27dd02a#.qjj55npcj

63. Sara Konrath, Edward O'Brien, and Courtney Hsing. "Changes in dispositional empathy in American college students over time: A meta- analysis." Personality and Social Psychology Review, 2010.

64. 인용: Simon Kuper, "Log out, switch off, join in", FT Magazine, 2 October 2015.
http://www.ft.com/intl/cms/s/0/fc76fce2-67b3-11e5-97d0-1456a776a4f5.html

65. Sherry Turkle, Reclaiming Conversation: The Power of Talk in a Digital Age, Penguin, 2015.

66. 니콜라스 카(Nicholas Carr, 《생각하지 않는 사람들(The Shallows: Ham the Internet is changing the way we think, read and remember)》, (청림출판, 2015)

67. Pico Iyer, The Art of Stillness: Adventures in Going Nowhere, Simon and Schuster, 2014.

68. 인용: Elizabeth Segran, "The Ethical Quandaries You Should Think About the Next time You Look at Your Phone", Fast Company, 5 October 2015.
http://ww.fastcompany.com/3051786/most-creative-people/the-ethical-quandaries-you-should-think-about-the-next-time-you-look-at

69. World Economic Forum, Deep Shift— Technology Tipping Points and Societal Impact, Survey Report, Global Agenda Council on the Future of Software and Society; November 2015

70. https://wtvox.com/3d-printing-in-wearable-tech/top-10-implantable-wearables-soon-body/

71. https://wtvox.com/3d-printing-in-wearable-tech/top-10-implantable-wearables-soon-body/

72. http://cen.acs.org/articles/90/i7/Odd-Couplings.html

73. http://www.hongkiat.com/blog/augmented-reality-smart-glasses/

74. http://www.zdnet.com/article/wearables-internet-of-thingsmuscle-in-on-smartphone-spotlight-at-mwc/

75. http://mimobaby.com/;http://money.cnn.com/2015/04/16/smallbusiness/mimo-wearable-baby-monitor/

76. http://www.ralphlauren.com/product/index.jsp?productId=69917696&ab=rd_men_features_thepolotechshirt&cp=64796626,65333296

77. Internet live stats, "Internet: users in the world", http://www.internetlivestats.com/internet-users/ http://www.worldometers.info/worid-population/

78. "Gartner Says Worldwide Traditional PC, Tablet, Ultramobile and Mobile Phone Shipments to Grow 4.2 Percent in 2014", Gartner, 7 July 2014. http://www.gartner.com/newsroom/id/2791017

79. "Number of smartphones sold to end users worldwide from 2007 to 2014 (in million units)", statista, 2015.
http://www.statista.com/statistics/263437/globalsmartphone-sales-to-end-users-since-2007/

80. Lev Grossman, "Inside Facebook's Plan to Wire the World," Time, 15 December 2014.
http://time.com/facebook-world-plan/

81. "One Year In: Internet.org Free Basic Services," Facebook Newsroom, 26 July 2015. http://newsroom.fb.com/news/2015/07/one–year–in–internet–org–free–basic–services/

82. Udi Manber and Peter Norvig, "The power of the Apollo missions in a single Google search", Google Inside Search, 28 August 2012. http://insidesearch.blogspot.com/2012/08/the–power–of–apollo–missions– in–single.html

83. Satish Meena, "Forrester Research World Mobile And Smartphone Adoption Forecast, 2014 To 2019 (Global),"
Forrester Research, 8 August 2014. https://www.forrester.com/Forrester+Research+World+Mobile+And+Smartphone+Ad option+Forecast+2014+To+2019+Global/fulltext/–/E–RES118252

84. GSMA, "New GSMA Report Forecasts Half a Billion Mobile Subscribers in Sub–Saharan Africa by 2020", 6 November 2014
http://www.gsma.com/newsroom/press–release/gsma–report–forecasts–half–a–billion–mobile–subscribcrs–ssa–2020/

85. "Processing Power Compared; Visualizing a 1 trillion–fold increase in computing performance", Experts Exchange. http://pages.experts–exchange.com/processing–power–compared/

86. http://pages.experts–exchange.com/processing–power–compared/

87. "A history of storage costs", mkomo.com, 8 September 2009 http://www.mkomo.com/cost–per–gigabyte
웹사이트에 따르면 해당 데이터는 '하드 드라이브 저장 공간의 가격에 관한 과거 기록Cost of Hard Drive Storage Space Historical Notes'에서 찾을 수 있다고 한다. (http://ns1758.ca/winch/winchest.html)
2004년부터 2009년까지의 데이터는 Internet Archive Wayback Machine을 활용하여 기록을 찾았다. (http://archive.org/web/web.php)

88. Elana Rot, "How Much Data Will You Have in 3 Years?", Sisense, 29 July 2015. http://www.sisense.com/blog/much–data–will–3–years/

89. Kevin Mayer, Keith Ellis and Ken Taylor, "Cattle Health Monitoring Using Wireless Sensor Networks", Proceedings of the Communication and Computer Networks Conference, Cambridge, MA, USA, 2004. http://www.academia.edu/781755/Cattle_health_monitoring_using_wirelcss_sensor_networks

90. http://rewrite.ca.com/us/articles/security/iot-is-bringing-lots-ofcode-to-your-car-hackers-too.html?intcmp=searchresultclick&resultnum=2

91. "IT로 가능한 상품과 서비스, 사물인터넷", 디지털 전략 개요에 관한 회담, 다트머스 대학교 터크 경영대학원 내 디지털 전략 센터, 2014 ("IT-Enabled Products and Services and IoT", Roundtable on Digital Strategies Overview, Center for Digital Strategies at the Tuck School of Business at Dartmouth, 2014)

92. "사물인터넷: 상호연결성의 기회와 문제점", 디지털 전략 개요에 관한 회담, 다트머스 대학교 터크 경영대학원 내 디지털 전략 센터, 2014 ("The Internet of Things: The Opportunities and Challenges of Interconnectedness", Roundtable on Digital Strategies Overview, Center for Digital Strategies at the Tuck School of Business at Dartmouth, 2014)

93. http://www.politico.eu/article/google-vs-german-car-engineerindustry-american-competition/

94. "사물인터넷: 상호연결성의 기회와 문제점", 디지털 전략 개요에 관한 회담, 다트머스 대학교 터크 경영대학원 내 디지털 전략 센터, 2014 ("The Internet of Things: The Opportunities and Challenges of Interconnectedness", Roundtable on Digital Strategies Overview, Center for Digital Strategies at the Tuck School of Business at Dartmouth, 2014)

95. "로지 혹은 자비스: 스마트 홈의 미래는 아직 결정되지 않았다", 리처드 니에바, 2015년 1월 14일(Rosie or Jarvis: The future of the smart home is still in the air, Richard Nieva, 14 January 2015, cnet.com, http://www.cnet.com/news/rosie-or-jarvisthe-future-of-the-smart-home-is-still-in-the-air/

96. "스마트 시티와 미래의 인터넷: 열린 혁신을 위한 협력 프레임워크(Smart Cities and the Future Internet: Towards Cooperation Frameworks for Open Innovation)", H

Schaffers, N.Komninos, M.Pallot, B.Trousse, M. Nilsson and A. Oliveira, The Future Internet, J.Domingue et al.(eds), LNCS 6656, 2011, pp.431–466, http://link.springer.com/chapter/10.1007%2F978–3–642–20898–0_31

97. "빅 데이터 통계의 포괄적 이해", 빈센트 그린빌, 2014년 10월 21일(A Comprehensive List of Big Data Statistics", Vincent Granville, 21, October 2014.) http://www.bigdatanews.com/profiles/blogs/acomprehensive–list–of–big–data–statistics

98. "데이터가 왜 중요한가", (What's the Big Deal with Data)", BSA | 소프트웨어 얼라이언스(Software Alliance), http://data.bsa.org

99. http://www.citylab.com/cityfixer/2016/04/3–cities–using–opendata–in–creative–ways–to–solve–problem/391035

100. http://www.wired.com/2015/10/tesla–self–driving–over–air–update–live

101. 토마스 할렉(Thomas Halleck), 2015년 1월 14일(14 January 2015), "구글은 2020년에는 무인 자동차의 모든 준비가 끝날 것이라고 밝혔다.(Google Inc. Says Self–Driving Car Will Be Ready By 2020)", 인터네셔널 비즈니스 타임스(International Business Times) http://www.ibtimes.com/google–inc–says–self–driving–car–will–be–ready–2020–1784150

102. http://www.wire.com/2015/07/hackers–remotely–kill–jeep–highway/

103. 알렉스 냅(Alex Knapp), 2011년 6월 22일(22 June 2011), "네바다, 무인자동차 법안 통과(Nevada Passes Law Authorizing Driverless Cars)", 《포브스(Forbes)》 http://www.forbes.com/sites/alexknapp/2011/06/22/nevadapasses–law–authrizing–driverless–cars

104. 인공지능 시스템이 4세의 언어지능을 따라잡았다.(Verbal IQ of a Four–Year Old Achieved by AI System)" http://citeseerx.ist.psu.edu/viewdoc/download?doi=10.1.1.386.6705&rep1&type=pdf

105. "이사회 멤버가 된 인공지능(Algorithm appointed board director)", BBC

http://www.bbc.com.news/technology-27426942

106. Carl Benedikt Frey and Michael A. Osborne, "The Future of Employment: How Susceptible Are Jobs to Computerisation?", 17 September 2013.
http://www.oxfordmartin.ox.ac.uk/downloads/academic/The_Future_of_Employment.pdf

107. 에릭 셔먼(Erik Sherman), 《포춘(FOURTUNE)》, 2015년 2월 25일(25 February 2015)
http://fortune.com/2015/02/25/5-jobs-that-robots-already-are-taking/

108. Will Knight, "This Robot Could Transform Manufacturing," MIT Technology Review, 18 September 2012.
http://www.technologyreview.com/news/429248/this-robotcould-transform-manufacturing/

109. "로봇의 현실: 다음은 서비스직이다(The Robot Reality: Service Jobs Are Next to Go)", 블레어 브리어디(Blaire Broidy), 2013년 3월 26일 (26 March 2013), 피스칼 타임스(The Fiscal Times)
http://www.cnbc.com/id/100592545

110. http://bitnation.co/;http://www.pymnts.com/news/2014/estoniannational-id-cards-embrace-electronic-payment-capabilities/#.Vi9T564rJPM

111. http://www.stratasys.com/ 참고

112. Dan Worth, "Business use of 3D printing is years ahead of consumer uptake", V3.co.uk, 19 August 2014.
http://www.v3.co.uk/v3-uk/news/2361036/business-use-of-3d-printing-is-years-ahead-of-consumer-uptake

113. "The 3D Printing Startup Ecosystem", SlideShare.net, 31 July 2014. http://de.slideshare.net/SpontaneousOrder/3d-printing-startup-ecosystem

114. "GE의 첫 번째 3D 프린트 부품이 하늘을 날 예정이다.(GE's first 3D-printed parts take flight)" 앤드류 잘레스키(Andrew Zaleski), 《포춘(FOURTUNE)》, 2015년 5월 12일 (12

May 2015),
http://fortune.com/2015/05/12/ge-3d-printed-jet-engine-parts/

115. Alban Leandri, "A Look at Metal 3D Printing and the Medical Implants Industry",
3DPrint.com, 20 March 2015.
http://3dprint.com/52354/3d-print-medical-implants/

116. "The Need is Real: Data", US Department of Health and Human Services,
organdonor.gov.
http://www.organdonor.gov/about/data.html

117. "An image of the future", The Economist, 19 May 2011. http://www.economist.
com/node/18710080

118. "3D 척추를 이식받은 소년 (Boy Given a 3-D Printed Spine Implant), 로렌 그러쉬
(Loren Grush), 파퓰러 사이언스(Popular Science), 2014년 8월 26일 (26 August 2014),
http://www.popsi.com/article/science/boy-given-3-dprinted-spine-implant

119. Jessica Hedstrom, "The State of 3D Printing", 23 May 2015.
http://jesshedstrom.quora.com/The-State-of-3D-Printing

120. Maurizio Bellemo, "The Third Industrial Revolution: From Bits Back to
Atoms", CrazyMBA.Club, 25 January 2015.
http://wwvv.crazymba.club/the-third-industrial-revolution/

121. T.E. Halterman, "3D Printing Market Tops $3.3 Billion, Expands by 34% in 2014",
3DPrint.com, 2 April 2015.
http://3dprint.com/55422/3d-prinring-market-tops-3-3-billion-expands-by-
34-in-2014/

122. 이 티핑 포인트는 당초 설문조사에는 포함되지 않았다.
(Deep Shift — Technology Tipping Points and Societal Impact, Survey Report, World
Economic Forum, September 2015)

123. http://www.nature.com/news/don-t-edit-the-human-germ-line-1.17111

http://qz.com/389494/chinese-researchers-are-the-first-to-genetically-modify-a-human-embryo-and-many-scientists-think-theyve-gone-too-far

124. 주 122와 동일.

125. Fernandez A, Sriraman N, Gurewitz B, Oullier O (2015). Pervasive neurotechnology: A groundbreaking analysis of 10,000+ patent filings transforming medicine, health, entertainment and business. SharpBrains, USA (206 p.) http://sharpbrains.com/pervasive-neurotechnology/

126. Oullier O (2012). Clear up this fuzzy thinking on brain scans. Nature, 483(7387), p. 7, doi: 10.1038/483007a
http://www.nature.com/news/clear-up-this-fuzzy-thinking-on-brain-scans-1.10127

127.
-도래스와미 M. (Doraiswamy M.) (2015). 우리의 미래를 바꿀 다섯 가지 뇌 과학기술 (5 brain technologies that will shape our future) 세계경제포럼 안건 (World Eonimic Forum Agenda), 8월 9일 (Aug 9)
http://agenda.weforum.org/2015/08/5-brain-technologies-futures
- 페르난데즈 A. (Fernandez A.) (2015). 우리의 뇌를 변화시키는 10가지 신경과학 기술 (10 neurotechnologies about to transform brain enhancement and brain health). 샤프 브레인(SharpBrains), 미국(USA), 11월 10일 (Nov 10)
http://sharpbrains.com/blog/2015/11/10/10-neurotechnologies-about-to-transform-brain-enhancement-and-brain-health

128. Klaus Schwab, Moderne Unternebmensfubrung im Maschinenbau (Modern Enterprise Management in Mechanical Engneering), VDMA, 1971.

129. 인용: Peter Snow, The Human Psyche in Love, War Enlightenment, Boolarong Press, 2010.

130. Daniel Goleman, "What Makes A Leader?", Harvard Business Review, January 2004.
https://hbr.org/2004/01/what-makes-a-leader

131. 라이너 마리아 릴케Rainer Maria Rilke, 젊은 시인에게 보내는 편지Letters to a Young Poet, Insel Verlag, 1929.

132. 볼테르Voltaire의 원문: "Le doute n'est pas une condition ageable, mais la certitude est absurde." "On the Soul and God", letter to Frederick William, Prince of Prussia, 28 November 1770, in S.G. Tallentyre, trans., Voltaire in His Letters: Being a Selection from His Correspondence, G.P. Putnam's Sons, 1919.

133. 마틴 노왁Martin Nowak·로저 하이필드Roger Highfield, 《초협력자(Super Cooperators: Altruism, Evolution, and Why We Need Each Other to Succeed)》, (사이언스북스, 2012)

색인 Index

클라우스 슈밥의
제4차 산업혁명

초판 51쇄 발행 2024년 5월 8일
초판 1쇄 발행 2016년 4월 27일

지은이 클라우스 슈밥
옮긴이 송경진

발행인 손은진
개발책임 김문주
개발 김민정 정은경
디자인 엄혜리
제작 이성재 장병미
마케팅 엄재욱 조경은
발행처 메가스터디(주)
출판등록 제2015-000159호
주소 서울시 서초구 효령로 304 국제전자센터 24층
전화 1661-5431 팩스 02-6984-6999
홈페이지 http://www.megastudybooks.com
출간제안/원고투고 writer@megastudy.net

메가스터디BOOKS

'메가스터디북스'는 메가스터디㈜의 출판 전문 브랜드입니다.
유아/초등 학습서, 중고등 수능/내신 참고서는 물론, 지식, 교양, 인문 분야에서 다양한 도서를 출간하고 있습니다.